Como Ser Feliz
o Tempo Todo

PARAMHANSA YOGANANDA

Como Ser Feliz o Tempo Todo

A Sabedoria de Yogananda

Tradução:
GILSON CÉSAR CARDOSO DE SOUSA

Editora
Pensamento
SÃO PAULO

Título original: *How To Be Happy All The Time.*
Copyright © 2006 Hansa Trust.
Copyright da edição brasileira © 2008 Editora Pensamento-Cultrix Ltda.
1ª edição 2008.
6ª reimpressão 2019.

Publicado originalmente por Crystal Clarity Publishers.
14618 Tyler Foote Road, Nevada City, California 95959; tel.: 530-478-7600;
www.crystalclarity.com.

Todos os direitos reservados. Nenhuma parte deste livro pode ser reproduzida ou usada de qualquer forma ou por qualquer meio, eletrônico ou mecânico, inclusive fotocópias, gravações ou sistema de armazenamento em banco de dados, sem permissão por escrito, exceto nos casos de trechos curtos citados em resenhas críticas ou artigos de revistas.

A Editora Pensamento não se responsabiliza por eventuais mudanças ocorridas nos endereços convencionais ou eletrônicos citados neste livro.

Dados Internacionais de Catalogação na Publicação (CIP)
(Câmara Brasileira do Livro, SP, Brasil)

Yogananda, Paramhansa, 1893-1952.
 Como ser feliz o tempo todo : a sabedoria de Yogananda / tradução Gilson César Cardoso de Sousa. – São Paulo : Pensamento, 2008.

 Título original: How to be happy all the time.
 ISBN 978-85-315-1541-5

 1. Espiritualidade 2. Felicidade – Aspectos religiosos 3. Self-Realization Fellowship 4. Vida espiritual – Hinduísmo I. Título.

08-04210   CDD-294.544

Índices para catálogo sistemático:
1. Felicidade : Aspectos religiosos : Hinduísmo 294.544

Direitos de tradução para o Brasil
adquiridos com exclusividade pela
EDITORA PENSAMENTO-CULTRIX LTDA.
Rua Dr. Mário Vicente, 368 — 04270-000 — São Paulo, SP
Fone: (11) 2066-9000
E-mail: atendimento@editorapensamento.com.br
http://www.editorapensamento.com.br
que se reserva a propriedade literária desta tradução.
Foi feito o depósito legal.

Sumário

Apresentação 7

1. A busca da felicidade no lugar errado 9
2. Felicidade é escolha 21
3. Evite os ladrões da felicidade 33
4. Aprenda a se comportar 47
5. O segredo é a simplicidade 59
6. Compartilhe sua felicidade com os semelhantes 69
7. Sucesso e prosperidade autênticos 79
8. Liberdade e alegria interiores 101
9. Encontrar Deus é a maior felicidade 109

Apresentação

Este livro oferece segredos simples, mas profundos, para você ser feliz em todas as circunstâncias. As idéias são atraentes, práticas e muito inspiradoras.

O autor, Paramhansa Yogananda, veio da Índia para os Estados Unidos em 1920, trazendo consigo os ensinamentos e técnicas do yoga, a antiga ciência do despertar da alma. Foi o primeiro mestre de yoga a estabelecer residência no Ocidente, e sua *Autobiografia de um Yogue* logo se tornou um *best-seller* mundial, alimentando o nascente fascínio pela sabedoria oriental nos países ocidentais.

O yoga é a antiga ciência de redirecionar as energias do corpo para o despertar espiritual. Além de trazer consigo as técnicas mais práticas e eficazes de meditação, Yogananda aplicou esses princípios a todas as áreas da vida. Mostrou às pessoas como encarar a existência a partir de um núcleo de paz e felicidade interior. Foi escritor prolífico, conferencista e compositor durante os 32 anos que viveu na América.

As citações incluídas neste livro foram extraídas das muitas lições que ele redigiu nos anos 1930, das revistas *Inner Culture* e *East West* publicadas antes de 1943 e de sua interpretação original do *Rubaiyat* de Omar Khayyam, organizada por Swami Kriyananda, além de notas tomadas por este último durante os anos em que conviveu com Yogananda como seu discípulo próximo.

Nosso objetivo, aqui, é trazer à luz o espírito do Mestre, com um mínimo de interferência editorial. Algumas frases, por serem redundantes, foram eliminadas; e às vezes tivemos de mudar palavras e pontuação para esclarecer o significado. Boa parte do material incluído no livro não está disponível em outras obras.

Desejamos sinceramente que as palavras de Yogananda preencham a vida dos leitores com mais paz, realização e felicidade autêntica.

CAPÍTULO 1

*A busca da felicidade
no lugar errado*

Buscar a felicidade fora de nós mesmos é como tentar agarrar uma nuvem. A felicidade não é uma coisa: é um estado mental. Precisa ser vivida. Nem o poder mundano nem os esquemas de ganhar dinheiro poderão jamais captar a felicidade. A inquietação mental resulta de uma percepção voltada para fora. E essa inquietação significa que a felicidade sempre se mostrará esquiva. O poder temporal e o dinheiro não são estados da mente. Uma vez obtidos, apenas diluem a felicidade. Com certeza não a podem concentrar.

Quanto mais dispersamos nossas energias, menos poder nos sobra para aplicar a um empreendimento específico. Os hábitos envolventes da preocupação e do nervosismo brotam de profundezas abissais no subconsciente, lançando tentáculos à volta de nossa mente e eliminando de vez toda a paz interior que porventura tenhamos desfrutado.

A verdadeira felicidade nunca será encontrada fora do Eu. Quem a procura ali age como se estivesse à cata do arco-íris em meio às nuvens!

Como as rosas passageiras, inúmeros seres humanos aparecem diariamente no jardim da Terra. Na juventude, lançam botões frescos e cheios de esperança, acolhendo as promessas da vida e acenando com ansiosa expectativa para cada brisa de satisfação sensual. Depois – as pétalas começam a fenecer e a esperança se transforma em desapontamento. No ocaso da vida caem, emurchecidas pela desilusão.

Leve em conta o exemplo das rosas: tal é o destino dos seres humanos que vivem pelos sentidos.

Analise, com a perspicácia nascida da introspecção, a verdadeira natureza dos prazeres sensuais. Pois, mesmo quando neles se compraz, você não sente no coração o arrepio da dúvida e da incerteza? Apega-se aos prazeres, mas sabe, bem no fundo, que algum dia eles irão traí-lo.

Um exame atento mostra que a indulgência sensual na verdade se ri de seus adeptos. O que ela oferece não é liberdade, mas servidão da alma. A rota de fuga não está, como muitas pessoas imaginam, nas estradas baixas e macias de mais indulgência ainda e sim lá em cima, nas veredas rochosas do autocontrole.

As pessoas se esquecem de que o preço da luxúria é o desgaste crescente de energia nervosa e cerebral, com o inevitável encurtamento de sua perspectiva de vida.

Os materialistas se envolvem a tal ponto na tarefa de fazer dinheiro que não conseguem relaxar e gozar seu conforto, mesmo depois de adquiri-lo.

Como é insatisfatória a vida moderna! Basta examinar as pessoas à sua volta. Pergunte-se: elas são felizes? Note as expressões tristes em suas faces. Observe o vazio em seus olhos.

A vida materialista tenta a humanidade com sorrisos e garantias, mas só nisto é consistente: nunca deixa de, mais cedo ou mais tarde, quebrar suas promessas!

Permitindo-se depender sempre mais de circunstâncias exteriores para o sustento físico, mental e espiritual, jamais olhando para dentro em busca de sua própria fonte, o homem aos poucos esgota suas reservas de energia.

Possuir bens materiais sem paz interior é como morrer de sede dentro de um lago. Se a pobreza material deve ser evitada, a pobreza espiritual deve ser desdenhada! É a pobreza espiritual, não a penúria material, que jaz no centro de todo sofrimento humano.

O cientista material usa as forças da natureza para tornar o ambiente humano melhor e mais confortável. O cientista espiritual se vale do poder da mente para iluminar as almas.

O poder mental mostra ao homem o caminho para a felicidade interior, que lhe dá imunidade contra as inconveniências do mundo.

Dos dois tipos de cientista, quem a seu ver presta os melhores serviços? O cientista espiritual, é claro.

Amor puro, júbilo sagrado, imaginação poética, bondade, sabedoria, paz e felicidade são sentidos primeiro *dentro*, na mente ou no coração, e só depois se transmitem pelo sistema nervoso ao corpo físico. Compreenda e sinta as alegrias superiores da vida interior e você acabará por preferi-las aos prazeres transitórios do mundo.

Todos os prazeres físicos se manifestam na superfície do corpo e são captados pela mente por intermédio do sistema nervoso. Você gosta dos prazeres exteriores dos sentidos porque foi apanhado por eles primeiro e continuou em suas garras. Assim como certas pessoas se acostumam à prisão, nós, mortais, apreciamos os prazeres materiais que calam as alegrias íntimas.

Pela maior parte, os sentidos nos prometem uma pequena felicidade passageira, mas no fim só nos dão sofrimento. Virtude e felicidade interior não prometem muito, mas no fim nos asseguram bem-aventurança duradoura. Por isso chamo à felicidade íntima e persistente da alma "Alegria", e "Prazer" às sensações passageiras.

O ambiente exterior e as companhias são da máxima importância. O ambiente exterior específico do começo da vida é crucial porque estimula ou embota o ambiente interior instintivo da criança. Esta nasce geralmente com um ambiente mental prévio, que é estimulado quando o de fora se parece com o de dentro; entretanto, se diferentes, o de dentro irá com toda a probabilidade ser suprimido. Uma criança instintivamente má pode ser corrigida e melhorada em boa companhia, e vice-versa, ao passo que uma criança instintivamente boa, colocada em boas companhias, sem dúvida será ainda melhor.

Você já refletiu seriamente no motivo pelo qual gosta dos prazeres transitórios e enganadores de preferência à paz e alegria duradouras da Alma – encontradas de maneira tão clara na meditação e por ela intensificadas? Isso se dá porque, a princípio, você cultivou o hábito de aceder aos prazeres dos sentidos e não cultivou as alegrias superiores da vida interior proporcionadas pela meditação. Compreenda e sinta essas alegrias íntimas e logo as preferirá aos prazeres fugazes do mundo.

Certo homem que vivia nas imensidões geladas do Alasca degustou umas uvas deliciosas enviadas por um amigo de Fresno, Califórnia. Apaixonou-se a tal ponto pelas frutas que arranjou um emprego em Fresno, onde todos os tipos de uvas crescem em abundância, e deixou o Alasca para sempre.

O homem, ao chegar a Fresno, foi convidado à casa de um amigo, aonde uma jovem senhora lhe levou um cacho das uvas que ele tanto apreciava. O recém-chegado ficou fora de si de tanta alegria e, enquanto ia trincando as bagas, murmurava: "Oh, agradeço-lhe do fundo do coração! Muito obrigado! Deixei o Alasca justamente por causa destas frutas".

"Pois, meu senhor, poderá ter quantas desejar. Possuo um vinhedo e todos os dias lhe trarei um punhado de cachos", disse a mulher.

No dia seguinte, logo de manhã, ela chegou à casa do apreciador de uvas com um cesto cheio. O homem, que ainda não pudera digerir todas as uvas engolidas na véspera, apareceu à porta, sorridente. Saltou de alegria ante a perspectiva de fartar-se com os cachos que a senhora lhe levava.

"Ah, que maravilha poder tê-los em tamanha quantidade! Quanta sorte! Obrigado, obrigado!", gritava o homem. Degustou algumas bagas na presença da mulher, por uma questão de educação, embora ainda trouxesse na boca o gosto das que ainda não haviam sido digeridas. Quando a mulher partiu, ele contemplou as uvas com admiração e olhos cobiçosos. Passou-se uma hora e o homem começou a chupar uvas de novo. O dia inteiro foram só uvas, uvas, uvas...

Na manhã seguinte, ao raiar do dia, a jovem senhora apareceu com uma quantidade ainda maior dos frutos de seu vinhedo e chamou o homem. Meio adormecido, já sem grande entusiasmo e um pouco irritado por ter sido arrancado de um sono profundo, mas forçando um sorriso amistoso, o homem saudou a senhora e as uvas. "Olá, boa mulher, obrigado por tão belo presente!"

Na terceira manhã, como sempre, lá estava a mulher com um monte de cachos de uva. O homem, sonolento e com um risinho amarelo no rosto, cumprimentou-a e disse: "Minha senhora, é muita gentileza sua trazer-me estas uvas, mas a verdade é que ainda tenho um pouco das de ontem".

Na quarta manhã, a mulher chamou de novo o homem do Alasca, trazendo uma grande quantidade de uvas. Ele foi atendê-la com relutância e, sem sorrir, saudou-a: "Ah, uvas de novo... Muita gentileza sua, mas já tenho o bastante".

Mas a mulher, sem acreditar naquela história e achando que o homem apenas não queria abusar de sua generosidade, levou-lhe ainda mais uvas no quinto dia. Bateu à porta e ele, saltando da cama como se tivesse visto um fantasma, gritou: "Quer horror, minha senhora, uvas, uvas e mais uvas! Com os diabos, uvas de novo!" A mulher sorriu e disse: "Estou contente por ver que o senhor detesta uvas. Acho que não irá mais me privar do prazer de vendê-las".

Essa história mostra que o excesso é sempre ruim. Não importa quão agradável seja uma coisa, se você exagerar em seu uso, ela deixará de lhe dar prazer e em vez disso lhe dará desgosto.

Lembre-se, pois: não exagere na comida, no sono, no trabalho, na atividade social ou em qualquer outra, por mais agradável que seja, pois a indulgência excessiva só traz infelicidade.

Convém distinguir entre o necessário e o supérfluo. As coisas necessárias são poucas, ao passo que as supérfluas não têm fim. Para ser livre e feliz, considere apenas as suas necessidades. Pare de alimentar desejos sem conta e de perseguir o fogo-fátuo da ventura enganosa. Quanto mais depender das coisas exteriores para a sua felicidade, menos felicidade experimentará.

Desejar o supérfluo é o meio mais seguro de empobrecer. Não seja escravo de bens e posses. Procure reduzir até as suas necessidades. Gaste o tempo na busca da felicidade e da bem-aventurança duradouras. A alma imutável e imortal se oculta por trás da tela de sua consciência, onde estão pintadas as imagens tenebrosas da doença, do fracasso, da morte, etc. Erga o véu da mudança ilusória e instale-se em sua natureza imortal. Entronize sua consciência instável na imutabilidade e serenidade interiores, que são o trono de Deus. Faça com que sua alma manifeste bem-aventurança dia e noite.

A felicidade pode ser assegurada pelo exercício do autocontrole, pelo cultivo de hábitos simples e pensamentos elevados, e pela economia de dinheiro, ainda que se ganhe muito. Tente ganhar mais a fim de ajudar os semelhantes a ajudar-se a si mesmos. Uma das leis tácitas da Vida é que quem ajudar os outros a obter abundância e felicidade será sempre ajudado, e obterá mais e mais prosperidade e ventura. Essa é uma lei da felicidade que não pode ser infringida. Não é melhor viver de maneira simples e frugal para enriquecer de verdade?

A alma não consegue reencontrar a ventura perdida em coisas materiais, pois o conforto que estas oferecem é ilusório. Depois de perder o contato com a divina bênção interior, o homem procura saciar sua sede de ventura nos prazeres falsos dos sentidos. Nos níveis mais profundos de seu ser, contudo, permanece consciente do seu anterior estado de imanência com Deus. A verdadeira satisfação lhe escapa porque, passando de um prazer sensual a outro, o que ele persegue é sua perdida felicidade no regaço do Senhor.

Que cegueira! Por quanto tempo ainda você, já farto, saciado e aborrecido, teimará em não procurar a alegria dentro de si mesmo, o único lugar onde ela pode ser encontrada?

Pense, por um instante, no que Jesus Cristo teria querido dizer com as palavras: "Segue-me, e deixa aos mortos o sepultar os seus próprios mortos" (Mateus, 8:22). O significado é que a maioria das pessoas está morta sem saber! Elas não têm ambição, iniciativa, entusiasmo espiritual, alegria na vida.

Para que viver dessa maneira? A vida deveria ser uma inspiração constante. Viver mecanicamente é estar morto por dentro com o corpo ainda respirando!

O motivo pelo qual a existência das pessoas se arrasta de forma tão insípida e desinteressante é que elas dependem de canais rasos para sua felicidade em vez de ir até a fonte inesgotável de toda a alegria, dentro de si mesmas.

Para que gastar todo o nosso tempo com coisas que não duram? O drama da vida tem sua moral no fato de ser apenas isto: um drama, uma ilusão.

Os insensatos, imaginando que a representação é real e duradoura, lastimam as partes tristes, lamentam que as alegres não se eternizem e deploram que a peça tenha de acabar. O sofrimento é o castigo de sua cegueira espiritual.

Os sábios, porém, sabendo que o drama não passa de ilusão, buscam a felicidade eterna no Eu interior.

CAPÍTULO 2

Felicidade é escolha

Se você teimar em ser triste, ninguém no mundo o fará feliz. Mas se preparar a mente para ser feliz, nada nem ninguém no mundo lhe roubará essa felicidade.

Se você já perdeu a esperança de ser feliz, anime-se. Não se desespere. Sua alma, reflexo do Espírito eternamente jubiloso, é a própria felicidade. Se mantiver fechados os olhos da concentração, não conseguirá ver o sol da bem-aventurança fulgurando em seu íntimo. Todavia, por mais que cerre os olhos da atenção, os raios da felicidade continuam tentando forçar a porta fechada da sua mente. Abra a porta da serenidade e avistará, dentro de si mesmo, o sol da alegria.

Os raios jubilosos da alma podem ser percebidos quando você interioriza sua atenção. Não procure a felicidade unicamente em roupas bonitas, pratos deliciosos e outras amenidades. Eles aprisionarão sua alegria por trás das grades da exterioridade.

Se você preparou sua mente para encontrar a alegria dentro de si mesmo, cedo ou tarde a encontrará. Busque-a todos os dias, praticando a meditação profunda, e sem dúvida achará a felicidade duradoura. Esforce-se para mergulhar dentro de si mesmo, pois ali está a maior das alegrias.

A felicidade vem não por ser desejada, mas por ser sonhada, pensada e vivida em todas as circunstâncias. Não importa o que você esteja fazendo, mantenha a corrente subterrânea da felicidade, o rio secreto da alegria fluindo por sob as areias dos seus pensamentos e o solo rochoso de seus anseios.

Algumas pessoas sorriem quase o tempo todo, embora tenham o peito corroído pela tristeza. Elas aos poucos vão definhando por trás das sombras desses sorrisos vazios. Outras apenas sorriem de vez em quando, mas alimentam por baixo da superfície incontáveis fontes de paz jovial.

Aprenda a ser alegre em seu coração, a despeito do que quer que aconteça, e diga a si mesmo: "A felicidade é o maior dos direitos divinos de nascença – o tesouro escondido de minha alma. Descobri ser secretamente mais rico do que o possam sonhar os reis".

Pessoas de caráter forte são em geral as mais felizes. Não culpam os semelhantes por problemas que se devem a seus próprios atos e falta de compreensão. Sabem que ninguém tem o poder de aumentar ou diminuir sua felicidade, exceto quando elas próprias permitem que os pensamentos negativos ou as más ações dos outros as afetem.

A firme determinação de ser feliz ajudará você. Não espere que sua situação mude, julgando que nisso reside o problema. Tente ser feliz em todas as circunstâncias. Se às vezes a felicidade parecer dependente de certas condições, altere-as para ser feliz o tempo todo.

Não se deixe prender por regras, pois não há regra sem exceção. Talvez você diga: "Se isto ou aquilo acontecer, ficarei bem contente". Não espere. Agarre o maior prêmio da felicidade que esteja agora ao seu alcance, pois o fogo-fátuo do anseio de felicidade, e portanto seu adiamento, só lhe reserva decepções.

A felicidade cresce graças àquilo que a alimenta. Aprenda a ser feliz *sendo feliz o tempo todo*. João disse: "Se eu tiver dinheiro, serei feliz". Depois de ficar rico, afirmou: "Serei feliz se puder me livrar da minha indigestão aguda". A doença foi curada, mas ele pensou: "Se me casar, serei feliz". O primeiro casamento só lhe trouxe desgraça; o segundo foi pior. Achou que seria mais feliz caso se divorciasse também da segunda esposa, e o fez. Hoje, com setenta anos de idade, imagina: "Só serei feliz se voltar a ser jovem". E assim as pessoas vão tentando atingir a meta da felicidade, sem jamais o conseguir.

Condicione a mente a ser feliz na riqueza ou na pobreza, na saúde ou na doença, no bom ou no mau casamento, na juventude ou na velhice, no riso ou no pranto. Não espere mudanças em si próprio, em sua família ou em seu ambiente para ser feliz no íntimo. Disponha-se a sê-lo agora mesmo, quem quer que você seja ou onde quer que se encontre.

O homem moderno orgulha-se de abordar cientificamente a realidade. Pois faço-lhe a seguinte proposta: analise a vida num laboratório, por exemplo. As pessoas gostam de fazer pesquisas; portanto, que tal você pesquisar a si próprio, suas atitudes perante o mundo, suas idéias e comportamento?

Descubra o que é a vida humana e como fazer para melhorá-la. Determine o que as pessoas mais desejam e qual a maneira correta, para elas, de satisfazer esse desejo. Determine também o que mais se esforçam por evitar e como poderão, no futuro, esquivar-se a esse "convidado" insuportável.

Em física e química, quando uma pessoa quer uma resposta exata, deve fazer a pergunta certa. O mesmo se aplica à vida. Procure descobrir por que tantas pessoas são infelizes. Depois, munido dessa compreensão, encontre o melhor caminho para a felicidade duradoura.

Conseguirá você fazer com que a roseira meio morta de sua vida refloresça?

Em geral, nascemos ricos de sorrisos, juventude, força, beleza, saúde, aspirações místicas e doces esperanças. À medida que crescemos, vamos perdendo essas riquezas, e as rosas que há em nós vão murchando. Por quê? Porque as rosas só florescem para morrer. Será então o caso de que nossa felicidade só apareça para sumir?

Queremos florescer com boas ações, emanar alegria e conservar para sempre a lembrança daqueles que nos amam. Não precisamos morrer de pobreza, doença ou tristeza.

Para preservar nossa roseira, devemos cuidar dela adequadamente com bastante água e nutrientes, protegendo-a das pragas e do frio. A roseira da nossa felicidade só pode crescer no solo fértil da nossa paz. Não crescerá no chão duro e insensível da mentalidade humana. Devemos revolver continuamente a paz com a pá das boas ações. Devemos manter a planta da nossa felicidade bem regada com nosso espírito de amor e serviço. Só somos felizes quando fazemos felizes os nossos semelhantes.

O verdadeiro adubo para a árvore da felicidade é fornecido unicamente pela meditação e o contato autêntico com Deus na vida cotidiana. Sem o contato com a fonte Infinita, de onde brotam todas as faculdades e inspirações humanas, jamais cresceremos completa e perfeitamente.

As piores pragas que atacam a planta da felicidade são a indiferença ao progresso, a acomodação e o ceticismo. O frio da inércia, ou ausência de esforço definido e constante para conhecer a Verdade, é o maior dos males de que sofre nossa planta da felicidade.

Seja feliz agora! Se conseguir achar a felicidade em sua alma, mesmo que morra amanhã e junte-se ao longo cortejo das almas que partiram e que descem lentamente os corredores abobadados dos séculos, você sempre levará consigo esse tesouro inestimável. Se conquistar a felicidade da alma, ninguém poderá arrancá-la de você, não importa quão longa seja sua jornada rumo ao infinito e à eternidade.

A maioria das pessoas vive vidas atormentadas pela dor e pela tristeza. Não evitam as ações que levam ao sofrimento e não tomam os caminhos que conduzem à bem-aventurança. Algumas são muito sensíveis à desgraça e à felicidade, quando elas se manifestam. Podem ser esmagadas pela dor ou sufocadas pela alegria, perdendo assim o equilíbrio mental. Poucas são as que, após chamuscar os dedos na fogueira da ignorância, aprendem a evitar os atos conducentes à tribulação.

Todos queremos ser felizes, mas quase nunca nos esforçamos para adotar o curso de ação que leva à felicidade. A maior parte das pessoas continua rolando pela encosta da vida, só *mentalmente* desejando escalar o pico da ventura. Às vezes acordam, se seu anseio de felicidade sobrevive à queda no abismo da vicissitude. Poucas têm imaginação e só despertam quando um acontecimento terrível as arranca do pesadelo da loucura.

Quem busca a felicidade deve guardar-se da influência dos maus hábitos, que levam às más ações. Estas sempre geram a indigência que corrói silenciosamente o corpo, a mente e a alma como um ácido causticante. Não é possível suportar por muito tempo essa indigência; ela tem de ser combatida a todo custo.

Cure-se dos maus hábitos cauterizando-os com os seus contrários, os hábitos bons. Se costuma pregar mentiras, passe a dizer a verdade. Leva tempo para contrair tanto um bom quanto um mau hábito. É difícil para uma pessoa má tornar-se boa e, para uma boa, tornar-se má. Depois que você se tornar bom, será fácil e natural continuar assim; do mesmo modo, se cultivar um mau hábito, ver-se-á compelido a agir mal a despeito do desejo de ser bom.

Lembre-se: não importa quão acostumado esteja com a desgraça, você pode adotar a felicidade como antídoto. Cada ato de ser feliz irá ajudá-lo a contrair o hábito de ser feliz constantemente. Não preste atenção à tagarelice mental quando ela lhe sussurra que você jamais alcançará a felicidade. Cuide apenas de começar a ser feliz e proclame a todo instante: "Sou feliz agora!" Se conseguir fazer isso o tempo todo, exclamará com certeza, olhando para trás: "Fui muito feliz!" Olhando-se hoje, dirá "Sou feliz"; e olhando à frente, "Sei que serei feliz". Toda a sua felicidade futura depende de quanto é feliz no momento, portanto comece a ser feliz AGORA.

Depois de banhar-se no oceano da paz no país dos sonhos, desperte com alegria e diga: "No sono vi-me livre das tribulações mortais. Eu era o rei da paz. Agora, trabalhando acordado e travando a batalha dos deveres, não mais serei vencido por inquietações rebeldes do reino da vigília. Senhor da paz no país dos sonhos, continuarei a sê-lo no país da vigília. Quando sair do meu reino de paz no país dos sonhos, disseminarei essa mesma paz na terra dos sonhos despertos".

A felicidade depende, até certo ponto, de condições externas, mas sobretudo do estado mental. Para ser feliz, a pessoa precisa de boa saúde, mente alerta, vida próspera, trabalho adequado e, principalmente, sabedoria prática. O homem não pode ser feliz preservando a serenidade interior, mas ignorando por completo a luta pela existência e o esforço para vencer.

Entretanto, sem a felicidade íntima, caímos prisioneiros de preocupações num palácio majestoso. A felicidade não depende apenas de sucesso e riqueza, mas também da vitória sobre os percalços da vida acompanhada da firme atitude de preservar a alegria interior.

Ser infeliz enquanto se busca a felicidade equivale a solapar o próprio fim proposto. A felicidade só virá se, primeiro, formos interiormente felizes o tempo todo e lutarmos com todas as forças para eliminar as causas da infelicidade.

O hábito de cultivar uma atitude mental de bem-aventurança deveria ter-se implantado quando você era bastante jovem, mas ainda não é tarde para começar. Doravante, prepare-se para, em presença de parentes importunos, chefes tirânicos e mazelas da vida, tentar manter a calma e a alegria interiores.

Se persistir nessa resolução a despeito de todos os desafios, descobrirá que a felicidade depende de bons hábitos mentais e da decisão de ser feliz sob quaisquer circunstâncias.

Depois de aprender a ser feliz constantemente, porém, não se permita uma atitude de preguiça pelo fato de ter ficado livre para gozar a felicidade interior. Não ignore as causas materiais que se postam no caminho dessa felicidade. Procure removê-las e exerça todas as atividades da vida com uma postura mental serena e alegre.

Você deve ser alegre e feliz, pois esse é o sonho de Deus. O homem pequeno e o homem grande são meras projeções da consciência do Sonhador. Aceite as coisas como vierem e diga a si mesmo que todas vêm de Deus. Que o que vier, venha. Ainda quando tiver de corrigir uma coisa errada, tente primeiro captar, no íntimo, Sua orientação. Depois, ao agir, faça-o em nome d'Ele e não movido pela indignação que o ego inspira.

CAPÍTULO 3

Evite os ladrões da felicidade

O mal é a ausência da alegria autêntica. É o que o torna um mal, obviamente. Do contrário, diria você que o tigre perpetra uma má ação ao devorar sua presa? Matar é a natureza do tigre, a ele dada por Deus. As leis da natureza são impessoais.

Observa-se o mal quando a pessoa revela potencial para obter a alegria interior. Tudo o que nos separa desse estado divino de existência nos prejudica porque desvia nossa visão daquilo que realmente somos e daquilo que de fato queremos na vida.

Daí as prescrições religiosas contra a luxúria e o orgulho, por exemplo. Os mandamentos são para o bem do homem, não para a satisfação do Senhor! Constituem advertências, para os incautos, de que embora certas atitudes e atos possam de início parecer satisfatórios, o final do caminho será para eles, não a felicidade, mas o sofrimento.

As pessoas que buscam a felicidade devem evitar a influência dos maus hábitos que levam às más ações. Estas geram desgraça cedo ou tarde.

A repetição de uns poucos atos de fraqueza nos acostuma a ser fracos. Muitas pessoas permitem que hábitos de fraqueza ou fracasso, por elas mesmas criados, as escravizem. Você poderá evitar isso caso se tenha condicionado mentalmente a viver de maneira diversa; entretanto, a resolução de combater os maus hábitos deve persistir até a vitória final.

O que você fez de si mesmo no passado é o que é agora. Foi você quem, pelos traços invisíveis e secretos de ações passadas, passou a controlar as ações presentes.

Foi você quem, pela lei de causa e efeito que governa todos os atos, determinou sua punição ou recompensa. Sem dúvida nenhuma, já sofreu o bastante. É hora de escapar à prisão de seus antigos hábitos indesejáveis. Uma vez que está desempenhando o papel de juiz, as grades do sofrimento, da pobreza ou da ignorância não poderão retê-lo se estiver pronto a libertar-se.

Evite falar em coisas negativas. Por que olhar os esgotos quando há tanta beleza em derredor? Você poderia levar-me ao lugar mais bonito do mundo e ainda assim eu, se quisesse, encontraria defeitos nele. Mas por que o quereria? Por que não gozaria de toda a sua beleza?

Quando nos concentramos no lado mau das coisas, perdemos de vista o lado bom. Dizem os médicos que milhões de germes terríveis povoam nosso corpo. Entretanto, por não termos consciência deles, têm muito menor probabilidade de nos afetar do que se lhes sentíssemos a presença e nos preocupássemos com isso. Quando teimamos em olhar o lado negativo, acabamos por adquirir qualidades negativas. Quando nos concentramos no lado bom, adquirimos bondade.

As preocupações são difíceis de eliminar. Você extirpa umas e, logo, outras enxameiam, vindas não se sabe de onde. Elas quase lhe devoram a vida. Assim como usamos veneno para combater os insetos que infestam nossa casa, devemos usar os produtos químicos da paz para destruir os pensamentos tristes. Toda vez que um enxame de preocupações o atacar, não lhe dê atenção e espere calmamente, enquanto procura o inseticida. Borrife-as com o seu poderoso *spray* de serenidade.

Você não encontrará esse *spray* numa drogaria. Terá de fabricá-lo na calma da sua prática diária de concentração. Esse produto compõe-se dos ácidos cáusticos da serenidade habitual e da bem-aventurança suave que elimina a dor. Os ácidos da serenidade e da bem-aventurança devem ser preparados no laboratório da autodisciplina, em repetidas tentativas.

As preocupações são aliviadas pela serenidade e a bem-aventurança, mas quem as erradica por completo é a sólida cultura da paz imperturbável. Elas não podem ser suprimidas por mais preocupações ou pelo anseio insensato de suprimi-las: todas as pragas desse tipo serão destruídas unicamente pelo hábito de alimentar uma paz duradoura.

Tome cuidado! A mente tem de ser protegida dos quatro estados psicológicos alternantes da tristeza, falsa felicidade, indiferença e paz enganadora, passiva. Cada um deles procura dominar o ego a breves intervalos, sempre que consegue tomar o lugar dos outros três. Observe bem um rosto e conseguirá dizer qual desses estados está controlando o possuidor. Raramente o rosto de uma pessoa permanece calmo quando ela se acha dominada pelos quatro estados mentais instáveis.

Sempre que é negado a uma pessoa o desejo por algo como saúde ou prazer, o sofrimento aparece e muda-lhe a face. O "Príncipe Sorriso" é expulso pelo "Rei Desgosto", que tortura os músculos e distorce a expressão.

Quando um desejo é satisfeito, a pessoa se sente temporariamente "feliz". A tristeza nasce do desejo não-realizado; a "felicidade", da satisfação do desejo. Tristeza e falsa felicidade, como gêmeos siameses, moram e viajam juntas. São a prole do desejo e nunca se desligam uma da outra; se você convidar a falsa felicidade, terá de receber também a tristeza.

Quando o ego não está às voltas com a tristeza ou a "felicidade", as pessoas entram no terceiro estado: indiferença ou tédio.

Você pergunta a uma pessoa entediada: "Está triste?" E ela responde:

"Oh, não".

Você pergunta em seguida: "Está alegre?" E vem a resposta:

"Oh, não".

"Mas então qual é o seu problema?", insiste você.

"Ora, estou apenas entediado", é a explicação.

Esse é o estado mental da maioria das pessoas.

Além dos estados mutáveis de tristeza, falsa felicidade e indiferença, existe o estado neutro da paz mental passiva. É de natureza negativa e breve: a conseqüência e o apaziguamento temporário dos outros três.

Acima desses quatro estados de consciência está o da Bênção incondicional e sempre nova, sentido apenas na meditação.

Não desperdice o seu tempo em pilhérias. Eu mesmo gosto de rir, mas controlo meu senso de humor. Quando estou sério, ninguém consegue me arrancar um sorriso sequer. Seja feliz e alegre no íntimo – grave, mas jovial. Para que gastar suas percepções espirituais com palavras vazias? Depois de encher o vaso da sua consciência com o leite da paz, mantenha-o assim: não lhe faça furos com brincadeiras e conversa fiada.

Não se exceda nas brincadeiras. Isso nada mais é que um estímulo falso. Não brota da alegria autêntica nem assegura felicidade verdadeira. Quando você brinca demais, sua mente fica irrequieta e leviana, incapaz de meditar.

Não transforme a desgraça em hábito crônico, pois não é nada divertido ser infeliz, ao passo que a felicidade constitui uma bênção para você e os outros. É fácil ostentar um riso luminoso e espalhar doçura com a voz; por que, então, ser mal-humorado e disseminar tristeza à sua volta? Nunca é tarde para aprender. Você tem a idade de seus pensamentos costumeiros e é tão jovem quanto se sente agora, a despeito dos anos decorridos.

❧

Quando a Senhora Tristeza aparece, não lhe dê forças percebendo sua presença. Se você aceder em alimentá-la com o néctar de suas lágrimas, ela se instalará e logo ocupará todos os espaços da sua vida. Tão logo ela surgir, escarneça-a – isso a desmoralizará. Em seguida, golpeie-a no estômago. Use os punhos, os braços e os cotovelos da vontade para expulsá-la de vez do recinto da sua vida. Assim, alcançará uma vitória ao mesmo tempo física e metafísica sobre a tristeza.

❧

Quem nasceu em situação desvantajosa deve resistir tenazmente à tentação da autopiedade. Lamentar a si próprio é diluir a capacidade interior de vencer.

❧

Sua felicidade individual depende, em larga medida, do êxito em proteger-se e à sua família das más conseqüências da bisbilhotice. Não veja o mal, não fale o mal, não ouça o mal, não pense o mal, não sinta o mal. Muitas pessoas podem tagarelar durante horas sobre a vida alheia, acabando por sucumbir à influência da fofoca, como se dá com a intoxicação passageira das bebidas alcoólicas. Não é estranho que alguém discorra longamente, alegremente, mordazmente sobre os defeitos dos outros e não possa ouvir a mínima referência aos seus próprios erros?

Da próxima vez que você sentir vontade de falar sobre as fraquezas morais e mentais de seus semelhantes, comece de imediato a enumerar em voz alta as suas próprias, por apenas cinco minutos – e veja o que acontece. Se não gosta de falar dos seus defeitos, se isso o magoa, mais magoado deveria sentir-se por dizer coisas injustas e danosas a respeito dos outros. Impeça-se, e aos membros de sua família, de falar mal do próximo.

Alardeando a fraqueza de uma pessoa, você não a ajuda em nada. Ao contrário, irrita-a ou desencoraja-a, envergonhando-a talvez para sempre e fazendo-a desistir de melhorar. Quando roubamos a alguém o senso de dignidade, amesquinhando-o abertamente, mergulhamo-lo no desespero.

O homem caído tem plena consciência de sua debilidade. Criticando-o de forma destrutiva, você o empurra ainda mais para o desalento no qual ele já está submergindo. Em vez de papaguear a seu respeito, ampare-o com palavras ternas, estimulantes. Só quando se pede ajuda é que a assistência espiritual e moral deve ser oferecida. Aos filhos e entes queridos você pode, a qualquer tempo, dar sugestões amistosas e contidas, eliminando assim sua timidez e seus melindres.

"Não julgueis, para que não sejais julgados. Pois, com o critério com que julgardes, sereis julgados; e, com a medida com que tiverdes medido, vos medirão também" (Mateus, 7:1-2). Há muita sujeira a remover do seu próprio lar mental. Não se permita tagarelar sobre a sujeira da mente alheia, mas ocupe-se em combater as fraquezas da sua própria vida. Em silêncio, cure-se do desejo de criticar e, uma vez livre da condenação e da bisbilhotice, ensine os outros a serem melhores dando-lhes o bom exemplo de um coração dedicado.

※

Palavras ásperas proferidas num assomo de emoção lembram um incêndio que se alastra pela floresta da amizade queimando todas as ervas verdes do relacionamento cortês e dos pensamentos generosos.

Pessoas embriagadas de excitação e escravas da cólera são incendiárias emocionais que, ao menor desafio, acendem os fósforos das palavras raivosas e põem fogo à paz das almas.

Assim como os incêndios florestais causam prejuízos de milhões de dólares ao país, assim os incendiários emocionais, incinerando a felicidade de milhões de pessoas inteligentes, provocam danos incalculáveis ao pensamento criativo, desgastando enormemente as energias nervosas humanas.

Para ser delicada, a pessoa não precisa concordar com tudo. Quando discordar, você deve permanecer calmo e mostrar-se gentil. Ficar encolerizado e descontrolado é uma fraqueza humana, mas segurar as rédeas do temperamento e da fala é uma força divina. Não importa o que o provoque, controle-se. Com um silêncio calmo ou mesmo palavras autenticamente bondosas, mostre que sua delicadeza é mais forte que a irritação do interlocutor.

Se a indelicadeza ou o azedume estão lhe provocando indigestão, beba o remédio da doçura. Se resolver mudar, comece dizendo palavras sinceras e gentis àqueles com quem foi injustamente agressivo. Primeiro, seja cortês com os seus parentes imediatos; depois, conseguirá sê-lo normalmente com os outros. A felicidade tem seus alicerces no altar da compreensão e da polidez.

Palavras grosseiras matam impiedosamente antigas amizades e a harmonia dos lares. Tire-as para sempre dos lábios e torne sua vida familiar livre de tribulações. Palavras doces e sinceras são néctar para almas sedentas. Elas cabem em toda parte. Palavras doces geram felicidade nos amigos, inimigos, igrejas, escritórios, etc. As pessoas se sentem aliviadas quando uma pessoa rabugenta deixa o recinto, e contentes quando um amigo sincero e polido aparece.

※

As pessoas temem as doenças degenerativas que afligem o corpo. Mas poucas buscam seriamente a cura quando contraem a apavorante moléstia psicológica do ciúme. Shakespeare chamava-a de "câncer que rói as raízes do amor". Mas é pior que isso.

O ciúme epidêmico parece afetar a mente de todas as nacionalidades. Ele é a tuberculose matrimonial. Devora a vida feliz e saudável dos casais, acabando por destruí-la com hemorragias de suspeita. Brigas contínuas são como crises de bronquite que vão afetando os pulmões da felicidade.

O ciúme é também a tuberculose dos negócios. Quando ele invade essa esfera, os tecidos da cooperação e da unidade, que são a essência de uma empresa, começam lenta ou rapidamente a deteriorar-se. Toda organização política e religiosa deve precaver-se contra essa doença degenerativa. Defenda sua felicidade de tamanha devastação.

Se você é escravo dos sentidos, não pode ser feliz. Se é senhor dos desejos e apetites, poderá sê-lo verdadeiramente. Se come em excesso; se cobiça algo contrário à sua consciência; se age mal, atiçado pelos sentidos, contra a vontade do Eu Interior, então em definitivo nunca será feliz. Os escravos dos sentidos descobrem que seus maus hábitos os compelem a fazer coisas que acabam por prejudicá-los. Maus hábitos arraigados anulam a força de vontade toda vez que ela tenta tomar as rédeas e conduzir os pensamentos para o reino da ação correta. O remédio consiste em resgatar a força de vontade das garras dos sentidos.

Ceder aos maus hábitos é torná-los ainda mais fortes, enfraquecendo ao mesmo tempo o poder da vontade. Combata os maus hábitos da cólera, da censura, do ciúme, do medo, da inércia, da gula ou qualquer que seja a sua fraqueza, não permitindo que a tentação vença a sua força de vontade. Quando decidir fazer algo que sabe ser absolutamente correto, vá adiante a todo custo. Isso dará à sua vontade, guiada pela sabedoria, mais poder sobre os maus hábitos. Esqueça os fracassos materiais, a indiferença espiritual, a fraqueza mental e moral, as meditações incompletas do ano passado utilizando sua vontade de prosperar, exercitando o autocontrole e meditando profundamente até entrar em contato real com Deus.

Quase todas as almas são escravas dos sentidos, que se localizam na superfície do corpo. A atenção da alma é desviada do seu reino interior na medula, no olho espiritual e nos chakras para as regiões exteriores do corpo, onde a cobiça, a tentação e o apego mantêm suas fortalezas. O devoto que quer conduzir a Rainha Alma para longe das moradas de miséria dos sentidos descobre não poder fazer isso sem provocar um violento embate entre os soldados dos sentidos e os guerreiros divinos da Alma.

Se você não tem suficiente força de querer, procure aumentar sua força de *não-querer*. Quando estiver à mesa de jantar e a sra. Gula tentar convencê-lo a comer mais do que deve, anestesiar seu autocontrole e lançá-lo ao poço da indigestão – tome cuidado. Após ingerir a quantidade e a qualidade certas de alimento, diga a si mesmo: "Não quero comer mais", levante-se da mesa e vá embora. Se alguém o chamar, dizendo: "João, volte e coma um pouco mais. Não vá perder a deliciosa torta de maçã", responda apenas: "*Não quero*".

Pensamentos de desonestidade, tentação e vingança são os soldados dos sentidos, provocadores de miséria. Desejam conquistar o reino da sua felicidade e trancafiar você no calabouço da infelicidade e da penúria. Quando os soldados dos maus pensamentos se juntarem para atacar sua paz interior, desperte os guerreiros espirituais da luz, honestidade e autocontrole – e trave uma batalha renhida.

Lembre-se: cabe a você decidir se quer que a cobiça, a sujeição, a cólera, o ódio, a vingança e as preocupações governem sua vida ou se deixará os guerreiros divinos do autocontrole, serenidade, amor, perdão, paz e harmonia defender seu reino mental. Expulse os hábitos sensuais rebeldes que trouxeram miséria ao império da sua paz. Seja seu próprio rei e deixe os paladinos do bem e dos bons hábitos tomar conta do reino de sua mente. Então a paz o governará para sempre.

Entregue a Deus tanto o bem quanto o mal que você porventura pratique. Isso não significa, é claro, que você deva fazer conscientemente coisas ruins; mas, quando não puder evitar isso por causa de hábitos muito arraigados, procure sentir Deus agindo por seu intermédio. Transfira a *Ele* a responsabilidade! Deus gosta disso! Quer dar-lhe a saber que é Ele quem sonha a sua existência.

Se você se esforçar, Deus *nunca* o abandonará!

CAPÍTULO 4

Aprenda a se comportar

Eu jamais poderei ser suficientemente grato ao meu mestre por dizer-me a todo instante: "Aprenda a se comportar".

Descobri poder ver-me refletido mais claramente pela mente dos outros, sobretudo a do meu Mestre, destituída de preconceitos, do que por meu próprio tirocínio confuso.

Comecei a conviver com pessoas serenas e a perguntar-lhes como me viam por intermédio de suas percepções mentais, pois notava uma diferença entre o que pensava que os outros pensavam de mim e o que eles *de fato* pensavam a meu respeito do fundo de suas mentes.

É preciso muita coragem para se arriscar a uma discussão ou outro problema qualquer apenas por enumerar a uma pessoa os seus erros. Por isso muita gente tem receio de falar mal de você face a face. Há quem fale mal de você pelas costas e o critique em silêncio.

Seus amigos não o criticam abertamente para não ofendê-lo; mas fazem-no no íntimo, como você faz a respeito deles. Se quiser saber o que seus amigos pensam de você, aja com honestidade e procure melhorar sempre, mostrando-se desprendido, controlado, calmo, meditativo, corajoso, brando, sincero, gentil, metódico, fiel à palavra dada e sem receio de ser firme: eles se sentirão tão impressionados por sua bondade que pensarão bem de você e o proclamarão em altas vozes.

Comporte-se bem e seja feliz, pois assim ajudará as pessoas à sua volta a serem felizes e bem-comportadas.

※

O autocontrole produz infelicidade a princípio porque separa a alma da gratificação prazerosa dos sentidos. No entanto, depois que o autocontrole amadurece, a alma começa a ter percepções mais delicadas e alegres, a fruir-se muito mais do que quando se identificava com os gozos sensuais. O devoto, temeroso da sensação de vazio, deve lembrar-se de que a renúncia não é um fim em si mesma, mas um meio para um fim. Ela nos ensina a transferir a atenção dos prazeres superficiais dos sentidos para os gozos mais profundos da alma.

※

Não se preocupe em demasia com seus erros. Ao contrário, procure evocar a lembrança das coisas boas que fez e da bondade que existe no mundo. Convença-se de sua perfeição inata. Assim, não se esquecerá nunca de que é eternamente, por natureza, um filho de Deus.

※

As únicas realizações valiosas não são as que ocorrem no mundo exterior, mas as vitórias que obtemos sobre nós mesmos. Ergamos interiormente moradas de belas qualidades, em vales de humildade onde possamos recolher as chuvas da misericórdia divina e da estima de outras pessoas.

A graça de Deus pode fertilizar o mais árido dos corações, transformando seu deserto cinzento num jardim verdejante de paz e felicidade interiores.

※

Se você quiser ser amado, comece por amar seus semelhantes que precisam do seu amor. Se espera que os outros se comportem honestamente com você, comece por ser honesto você próprio. Se deseja que o próximo simpatize com você, apresse-se a mostrar simpatia por ele. Se exige respeito, aprenda a ser respeitoso para com todos, jovens ou velhos. Se quiser uma mostra de paz por parte dos outros, seja pacífico você mesmo. E se quiser que eles sejam religiosos, comece por cultivar pessoalmente a espiritualidade. Seja primeiro aquilo que espera dos demais. Logo notará que eles lhe respondem da mesma maneira.

É fácil exigir que os outros se comportem bem e é igualmente fácil perceber-lhes as faltas; mas é muito difícil agir com propriedade e reconhecer os próprios defeitos. Se você se lembrar de agir com acerto, os outros tentarão seguir seu exemplo. Se puder detectar suas próprias imperfeições sem desenvolver um complexo de inferioridade, e fizer esforço constante para emendar-se, estará empregando seu tempo de maneira mais proveitosa do que se teimasse em exigir que os semelhantes melhorem. O bom exemplo faz mais para modificar os outros do que exigências, raiva ou palavras.

Quanto mais você melhorar, mais melhorará os que estão à sua volta e mais feliz você mesmo será. E quanto mais feliz for, mais eles o serão.

Pessoas passivas são infelizes. Pessoas muito ignorantes não sabem bem o que é ser feliz ou infeliz. É melhor lamentar a própria ignorância do que morrer satisfeito com ela. Onde quer que você esteja, permaneça vivo e desperto em pensamento, percepção e intuição – sempre pronto a apreciar uma boa conduta e a ignorar um mau comportamento. Sua maior felicidade reside na disposição constante para aprender e cultivar atitudes exemplares.

⁂

Pessoas entediadas, certas de já ter exaurido as alegrias da vida, ignoram que todo um mundo de consolo pode ser encontrado nos bons livros. A mente vazia é a oficina da preocupação e do desespero. Na escolha de livros, a preferência deve ser dada aos de conteúdo espiritual, mas livres de dogmas. Você deve dominar, nos estudos, um assunto ou mais, embora deva conhecer um pouco de todos, inclusive botânica, lógica, astronomia, música, idiomas e política. O estudo da fisiologia é importante. Leia uma boa revista científica mensal.

Ler é o melhor esporte intelectual a portas fechadas. Mantém a mente ocupada e o intelecto exercitado. Uma ou duas horas de leitura por dia proporcionam a qualquer pessoa uma educação liberal em dez anos, se ela optar por obras adequadas. Não perca tempo nem prejudique suas faculdades mentais lendo publicações tolas e sem propósito. Ignorar livros é renunciar à herança dos séculos.

Se você não convive bem com seus semelhantes ou com o mundo, leia bastante e permaneça em companhia desses amigos silenciosos que têm o poder de confortar e inspirar. Quanto àqueles que gostam da vida social, encontrarão novas forças para ajudar a humanidade nas lições de livros escritos por autores nobres e talentosos.

Leia, assinale e absorva passagens selecionadas das grandes obras. Discuta tópicos importantes com pessoas inteligentes. Pensar com lógica sobre idéias alheias é a melhor maneira de conceber idéias originais. Ao refletir, mantenha os olhos fechados e a mente concentrada por inteiro no objeto em exame. Não faça nada com metade da atenção ou metade do entusiasmo.

Bons livros são amigos silenciosos para a vida inteira. Quando você estiver aborrecido ou preocupado, apanhe um livro e mergulhe nele. Ouça as palavras de conforto e inspiradoras dos grandes espíritos de todos os tempos.

Se você costuma ler obras espirituais, prefira as que tratam de auto-realização. Livros como a Bíblia e o Bhagavad Gita não devem ser lidos como se lê um romance. Escolha um trecho, reflita sobre seu significado e avalie a verdade ali contida. Depois, tente viver essa verdade no cotidiano.

Há três "bíblias" de onde tiro minha inspiração: a Bíblia cristã, o Bhagavad Gita hindu e meu livro *Whispers from*

Eternity, oferecido a mim por Deus. Por intermédio da meditação e da percepção intuitiva, porém, obtenho mais verdades intelectuais do que em páginas impressas.

Leia depois da meditação. Comente as obras recorrendo à percepção intuitiva. Mantenha a mente ocupada a maior parte do tempo com bons livros, quando não está meditando. Nas horas vagas, ocupe-se de obras interessantes, que lhe protejam a mente de pensamentos ociosos, capazes de criar tédio e insatisfação.

Marido e mulher devem equilibrar seu amor com o autocontrole, a leitura e a discussão de bons livros, em vez de travar guerras familiares inúteis ou discussões matrimoniais que só comprometem a paz.

※

Se você deseja ser feliz, aprenda a viver sozinho e a mergulhar na introspecção frente a todos os tipos de experiência – bons livros, problemas, religião, filosofia e alegria interior. O retiro proveitoso, voluntário e habitual é o preço da verdadeira felicidade. Quando estiver no meio de uma turba de faladores, recolha-se à cela dos seus pensamentos profundos e goze a paz de sua fonte interior de silêncio.

※

Não faça chacota de tudo. Eu mesmo, como já disse, gosto de rir; mas, quando quero ficar sério, ninguém consegue arrancar-me um sorriso. Seja feliz e alegre – principalmente no íntimo. Por fora, mostre-se cordial.

Não desperdice a percepção da presença de Deus, adquirida ao meditar, tagarelando à solta. Palavras ociosas são como projéteis: perfuram o balde de leite da paz. Reservando um tempo precioso à conversação e ao riso destemperado, logo descobrirá que nada lhe restou por dentro. Encha o balde de sua consciência com o leite da paz meditativa e mantenha-o cheio. Brincadeiras são falsa felicidade. Risos demais perfuram a mente, deixando a paz contida no balde escorrer com enorme desperdício.

Medite regularmente e, dentro de si mesmo, encontrará uma paz que é real. Terá então algo a comparar aos prazeres dos sentidos. Essa comparação o levará automaticamente a querer pôr de lado os maus hábitos, causadores de sofrimento. A melhor maneira de resistir à tentação é contar com algo que se lhe compare vantajosamente.

❦

Não permita nunca que sua mente seja seduzida pelo desassossego oriundo do excesso de chacotas, distrações, etc. Seja profundo. Tão logo sucumbe à inquietude, todos os velhos problemas recomeçam a pressionar sua mente: sexo, bebida e dinheiro.

Sem dúvida, um pouco de riso e diversão é coisa boa de vez em quando. Mas não deixe que a leviandade o domine. Também eu gosto de rir ocasionalmente, já se sabe. E já se sabe também que, quando decido ficar sério, nada nem ninguém pode arrancar-me do meu Eu interior.

Seja profundo em tudo o que fizer. Mesmo quando sorrir, não perca a serenidade interior. Seja alegre por dentro, mas também um pouco contido. Concentre-se na alegria íntima.

Apegue-se sempre ao Eu. Deixe-o só para comer, conversar ou trabalhar; depois, volte para ele.

Seja calmamente ativo e ativamente calmo. Essa é a atitude do yogue.

❧

Num dia nevoento, pense nos muitos que teve banhados de sol. Quando surgirem preocupações e você achar que elas irão tomar conta da sua vida para sempre, relembre os incontáveis momentos de felicidade que gozou no passado. É ingratidão para com Aquele que tudo dá esquecer os doces sorrisos de cinqüenta anos apenas porque se ficou doente por seis meses. Não há sentido em criar uma assimetria mental e ignorar décadas de felicidade levando demasiado a sério as tribulações de algumas semanas ou meses.

Não tema essa ignorância passageira, própria dos mortais, pois dentro da sua alma jaz a mina secreta da sabedoria divina. Uma vez que fomos feitos à imagem e semelhança de Deus, toda a Sua sabedoria e felicidade estão guardadas em algum canto do porão atravancado do nosso subconsciente. Rir quando tudo vai bem é fácil e natural; mas rir quando as coisas parecem prestes a nos destruir é difícil e admirável, sinal de uma consciência superior e garantia de uma felicidade duradoura. Torne-se um especialista em alegria e um doutor em tristeza para curar, com os raios X de seus sorrisos, corações melancólicos e fatigados.

Quando estiver doente, não se preocupe com a duração do seu sofrimento, mas pense nos anos juvenis e saudáveis que já gozou. O que você teve pode voltar a ter, se se esforçar o bastante. Desanimar é, a longo prazo, a opção mais difícil e prejudicial; bem mais fácil é lutar com todas as forças até vencer.

Enfrente a tristeza com a alegria; destrua os pensamentos repugnantes de fracasso com o tônico da consciência de sucesso. Cinzele a discórdia com o buril da harmonia. Cauterize a inquietude com a calma. Lance os aborrecimentos às chamas da jovialidade. Anule o mal com o bem. Destitua as idéias doentias e instale a Rainha Saúde no trono do viver correto. Expulse o desassossego e a ignorância das margens de sua mente. Estabeleça o reino interior do silêncio e logo o Deus da felicidade penetrará livremente em seu íntimo.

CAPÍTULO 5

O segredo é a simplicidade

Simplicidade não é miséria: não se opõe diametralmente à riqueza. Viver com simplicidade é seguir o caminho tranqüilo da moderação. Numa vida de equilíbrio entre extremos jaz o segredo da felicidade interior.

Os amantes verdadeiros, em paz consigo mesmos e com o mundo, aceitam alegremente seu destino e lamentam, com razão, o fardo dos reis.

A felicidade é a condição natural e autêntica dos seres humanos. Poucos a encontram porque vivem em sua periferia; distanciam-se o mais possível do seu próprio centro interior. Quanto mais ricos e poderosos se tornam, mais vazios se sentem por dentro.

Nos reis, o anseio de felicidade é quase sempre frustrado: seu desejo natural de ter amigos é diariamente engolido pela maré dos que tentam explorá-los. Sua esperança de encontrar compreensão nos homens é submergida e esmigalhada pela onda dos que lhes disputam os favores. Quanto mais numerosos são os cortesãos, mais o rei se sente interiormente solitário.

Por toda parte as pessoas, em sua busca de felicidade fora de si mesmas, descobrem ao fim que foram buscá-la numa cornucópia vazia e que estiveram sugando febrilmente as bordas de uma taça de cristal na qual nunca se despejou o vinho do regozijo.

Ser feliz consiste em esforçar-se ao máximo para reduzir os desejos e necessidades, bem como em cultivar capacidade de atender a eles por vontade própria, sempre sorrindo interior e exteriormente, a despeito de quaisquer obstáculos.

Todas as noites, permaneça silencioso e calmo por ao menos dez minutos (mais, se possível) antes de recolher-se, e outra vez de manhã, ao despertar. Isso criará em você o hábito firme e inquebrantável da felicidade, que lhe permitirá enfrentar todas as situações difíceis da batalha do cotidiano. Munido dessa felicidade duradoura, saia para o mundo a fim de atender às exigências do dia-a-dia.

Procure a bem-aventurança mais em sua mente e menos na aquisição de objetos materiais. Seja tão feliz por dentro que nada de fora possa abalá-lo. Assim, conseguirá passar sem as coisas a que se acostumou. Alegre-se sabendo que adquiriu o poder de não ser negativo. E saiba também que nunca mais cultivará a mentalidade materialista em detrimento da felicidade interior, mesmo se tornando um milionário.

⁂

Há aqui, na América, muita coisa que já desejei para o meu país empobrecido. Com o tempo, porém, percebi que os americanos não são tão felizes, na média, quanto os camponeses da Índia — muitos dos quais só se podem permitir uma refeição por dia. A despeito da prosperidade material, o povo daqui não goza da mesma alegria interior. Os americanos estão saciados de prazeres sensuais. A felicidade foge deles pela simples razão de que a buscam em toda parte, exceto em si mesmos.

⁂

Muitas vezes a chamada "felicidade" não passa de sofrimento disfarçado. Você talvez goste de comer muito, mas a conseqüência poderá ser uma indigestão aguda ou uma dor de estômago. A melhor maneira de assegurar a felicidade não é permitir que prazeres sensuais ou maus hábitos o controlem, mas refrear com firmeza uns e outros. Assim como não poderia matar a sua própria fome dando de comer a outra pessoa, não encontrará a felicidade satisfazendo às exigências constantes dos sentidos.

O excesso de luxo, longe de gerar felicidade, afasta-a da mente. Não desperdice a maior parte do tempo procurando coisas que o façam feliz. Sinta-se sempre satisfeito, tanto na luta pela prosperidade quanto depois de obtê-la. Você poderá ser o Rei da Felicidade numa cabana ou viver torturado pela desgraça num palácio. A felicidade é um fenômeno exclusivamente mental. Primeiro, você deve implantá-la firmemente dentro de si mesmo e depois, com a infatigável resolução de ser sempre feliz, caminhar pelo mundo buscando saúde, prosperidade e sabedoria.

Encontrará mais felicidade se procurar o sucesso com uma atitude jovial do que se tentar satisfazer ao desejo de seu coração com uma mente sombria, não importa qual desejo seja esse.

É mais fácil gastar do que ganhar. É mais difícil economizar do que ganhar. A maioria das pessoas gasta mais do que ganha. O dinheiro extra vem pelo empréstimo ou pela compra com promessa de pagar no futuro. Você não precisa "estar sempre à altura dos vizinhos". Tentar adquirir mais do que seu bolso comporta é viver em constante agonia mental. Gastar mais do que se tem é submeter-se à escravidão perpétua.

Juntamente com a arte de ganhar dinheiro, convém aprender a de economizá-lo. Uma renda considerável não será para você um bem duradouro se só criar hábitos de luxo, sem nenhuma reserva. Pense por um instante: caso fique doente de súbito, como sobreviverá sem seu salário se não tiver economias? Má coisa é cultivar hábitos de luxo quando se tem apenas um pequeno ordenado. Não seria melhor viver com simplicidade e frugalidade, gozando da riqueza autêntica? Você deve usar um quarto de seus ganhos para as despesas costumeiras, economizar três quartos e, assim, ficar com a mente tranquila, sentindo-se em segurança para o futuro. Reserve o que ganhou honestamente, não o desperdice em jogos nem o perca tentando "enriquecer depressa".

A felicidade pode ser obtida pelo exercício do autocontrole, pelo cultivo de modos simples de vida e pelos pensamentos elevados, gastando-se menos mesmo quando se ganha mais. Esforce-se para ganhar mais a fim de ajudar os semelhantes a ajudar-se a si mesmos.

A alegria é uma flor delicada demais para desabrochar na atmosfera poluída da mente mundana, que persegue a felicidade no dinheiro e nas posses. A alegria fenece também quando as pessoas a regam de maneira inadequada, impondo condições à felicidade e dizendo a si mesmas: "Não serei realmente feliz enquanto não comprar este carro (ou roupa, ou casa, ou pacote de férias na praia)!" Os materialistas, por mais desesperadamente que persigam a borboleta da felicidade, nunca a apanham. Ainda que tivessem tudo não estariam satisfeitos, e a felicidade continuaria fugindo deles.

Por outro lado, a felicidade brota de maneira espontânea no coração daqueles que são interiormente livres. Flui com naturalidade, à semelhança da fonte da montanha após as chuvas de abril, nas mentes acostumadas a um modo de vida simples e que, por vontade própria, renunciaram ao tumulto das chamadas "necessidades" vãs — o castelo dos sonhos de um espírito conturbado.

Quando desistimos da ambição mundana para procurar a paz dentro de nós mesmos, às vezes sentimos no começo uma certa nostalgia dos antigos hábitos. Acostumados aos negócios materiais, a simplicidade pode de quando em quando perturbar-nos, como coisa seca e sem atrativos.

Aos poucos, porém, se perseverarmos, criaremos o hábito do mundo interior e descobriremos uma felicidade bem maior na suficiência espiritual. Começaremos a apreciar mais e mais profundamente o significado da verdadeira bem-aventurança.

Do mesmo modo, podemos ter uma sensação passageira de perda após falhar em nossos negócios. Então a vida, a princípio, parecerá destituída da relva da esperança. Se, no entanto, após vaguear durante algum tempo por esse deserto, começarmos a encarar nossas circunstâncias corajosamente, concluiremos que a vida não mudou em sua essência e que os acontecimentos só foram definidos como fracasso por nossa imaginação. Evocaremos momentos felizes: por exemplo, os deleites singelos da infância. Súbito, compreenderemos que o contentamento íntimo é a única e exclusiva definição válida de sucesso — e, de maneira igualmente maravilhosa, que o contentamento é a única coisa na vida que não podemos perder!

Em qualquer caso, a secura da perda, do fracasso e do desapontamento aparentes pode ser levada a reverdecer como o deserto após uma chuva copiosa. Novas searas verdejantes de paz brotam de súbito nas mentes que buscam o repouso. Então a alma conhece uma felicidade mais preciosa que o maior sucesso assegurado pelos empreendimentos materiais.

Se você, caro leitor, tiver de escorregar ou despencar na ladeira do sucesso, para se ver abandonado pela riqueza e o prestígio, e coagido a viver em humildes circunstâncias — não se lamente. Antes, acolha bem a nova aventura que a vida coloca em seu caminho.

Se os seus sonhos forem mentirosos e o arruinarem, adapte-se corajosamente à nova situação. Na simplicidade você encontrará — embora talvez nunca a tenha procurado ali! — a doce bem-aventurança por que seu coração sempre suspirou.

A vida lhe dará mais do que você porventura haja sonhado se apenas procurar definir a prosperidade a uma nova luz: não como ganho material, mas como contentamento íntimo, divino.

CAPÍTULO 6

*Compartilhe sua felicidade
com os semelhantes*

Seu desejo de ser feliz deve incluir a felicidade dos outros.

※

Quando servimos ao próximo, servimos a nós mesmos. Não pense: "Ajudarei os outros", mas: "Ajudarei *meu próprio mundo* porque de outra maneira não serei feliz".

※

A lei da existência foi promulgada para nos ensinar a conviver harmoniosamente com a Natureza objetiva e com a nossa verdadeira natureza interior.

Se você tocar com os dedos uma chapa quente, eles se queimarão. A dor será uma advertência, que a Natureza ali colocou para protegê-lo de ferimentos no corpo.

Se tratar os outros sem bondade, assim será tratado tanto por eles quanto pela vida. Seu próprio coração, além disso, ficará murcho e ressequido. Desse modo a Natureza adverte os homens de que, pela maldade, eles rompem a harmonia com o Eu interior.

Conhecendo a lei e respeitando-a, as pessoas gozam de duradoura felicidade, boa saúde, e perfeita harmonia consigo mesmas e com a vida como um todo.

※

Há alguns anos eu tinha um belo instrumento musical, um *esraj* da Índia. Gostava de tocar nele música religiosa. Mas, um dia, um visitante deu mostras de apreciá-lo muito. Sem hesitar, dei-lhe o instrumento de presente. Tempos depois alguém me perguntou: "Você não ficou nem um pouquinho triste?" "Nem por um instante sequer!", respondi. Compartilhar com outros a própria felicidade é um modo de ser ainda mais feliz.

✦

Os amantes podem encontrar felicidade um no outro se viverem vidas simples, sem sobrecarregar sua existência com riquezas, artificialidade e ambição desenfreada.

✦

Quando dois indivíduos egoístas se unem pelos laços formais do matrimônio, permanecem separados mentalmente porque cada qual está enclausurado no amor a si próprio. Na prisão do egoísmo, nunca alcançam juntos a felicidade e a harmonia. Amar, antes de ser amado, é a chave que abrirá as portas de seus corações, trazendo-lhes alegrias comuns.

Amar apenas a si próprio é confinar-se. Quando os casais aprendem a expandir suas simpatias e a desprender-se de si mesmos — como indivíduos, casal ou família –, transformam seu relacionamento, tanto quanto a desarmonia emocional que o egoísmo produziu, num convívio de amor divino e solidário.

O amor abnegado é o segredo de tudo. Casais que de começo definem seu relacionamento em termos de "eu e você", aprendem mais tarde, graças ao aprofundamento da compreensão, a pensar em conjunto. Assim, o amor humano evolui para o amor divino.

Sem Deus, o afeto humano nunca é perfeito. Nenhum casamento pode ser realmente frutífero sem o "ingrediente secreto" do amor divino. O amor terreno, que não vai além da criatura amada para absorver a divindade, não é de forma alguma um sentimento autêntico. É mero culto do ego, pois está enraizado no desejo.

O verdadeiro amor emana de Deus. Somente corações purificados pela auto-expansão conseguem absorver a plenitude desse amor. Expandindo-se, os sentimentos do coração tornam-se canais por onde o amor de Deus flui para o mundo.

⁂

As pessoas realmente felizes no casamento não devem sua felicidade ao cônjuge. A felicidade brota de dentro de cada uma delas. Como é triste observar o sofrimento de quem baseia suas esperanças de ventura no próximo!

⁂

Swami Kriyananda relata a seguinte experiência:

Um membro da congregação de uma das igrejas da Self-Realization Fellowship procurou Paramhansa Yogananda atribulado por uma dúvida. "Mestre", disse ele, "algumas pessoas afirmam que, com tanto sofrimento no mundo, é errado alguém ser feliz. O gozo pessoal não implicará falta de compaixão para com a dor alheia?

"Jesus é freqüentemente descrito como 'um homem triste'. Jamais o vi chamarem de 'um homem alegre'."

Paramhansa Yogananda respondeu: "O Jesus que conheço é um bem-aventurado, não um melancólico! De fato, ele sofre pelas dores da humanidade, mas isso não o torna um prisioneiro da dor.

"Se ele assumisse os sofrimentos dos outros, que mais lhes poderia dar exceto mais sofrimentos ainda?

"A bênção de Deus torna aqueles que a mereceram piedosos para com os milhões que se desgarraram na vida. Mas a compaixão só aumenta a bênção interior, não a diminui. A bênção é a cura que todos os homens perseguem, consciente ou inconscientemente. Não é uma questão marginal, sem relação com o sofrimento. Quanto mais bem-aventurados nos sentimos, mais desejamos partilhar essa bem-aventurança com todos.

"A alegria divina vem com a expansão do eu. Já o sofrimento é fruto do egoísmo, de um ego que se contrai. A alegria desperta a compaixão em nosso coração. Faz-nos ansiosos por infundir a bênção divina naqueles que choram sua desgraça."

※

Nem mesmo a felicidade, que é um bem universal, deve ser imposta aos outros; na verdade, isso nem mesmo é possível. As reformas, quando alheias à vontade divina, só geram desarmonia.

Até o bem que praticamos deve ser ofertado com amor e respeito pelo livre-arbítrio dos semelhantes. Esse respeito se dirigirá, acima de tudo, à porção divina que existe neles. A caridade nunca deve privar os favorecidos de sua dignidade, que vem de Deus. Ao dar, devemos incentivar os outros a dar também alguma coisa em troca. Devemos fazê-los sentir nossa gratidão por seus serviços. Eles não serão beneficiados se tiverem de receber passivamente nossa generosidade.

※

Quando um lapidador de diamantes quer produzir uma bela pedra, sabe que deve cortá-la seguindo sua clivagem natural. O corte não pode ser feito ao acaso, para satisfazer alguma fantasia pessoal abstrata. O mesmo é verdadeiro quando desejamos extrair a beleza da natureza humana: devemos levar em conta a realidade dos outros e nunca tentar impor-lhes a nossa própria realidade.

※

À medida que a pessoa evolui espiritualmente, descobrindo a alegria e a centelha divina dentro de si mesma, é natural que deseje encontrar meios de transmitir seu ardente senso de felicidade e bem-estar aos outros homens. No entanto, desde logo aprende que tem de encarar as coisas como são. Qualquer tipo de instabilidade mental — e a tristeza é uma espécie de desequilíbrio da mente — deve ser combatido com cuidado, aos poucos, pois um choque súbito, ainda que de alegria, só agrava a perturbação.

É bom e certo que cada um de nós se esforce ao máximo para tornar este mundo um lugar melhor para viver. Deus não gosta do egoísmo. Se o devoto guarda por ciúmes até mesmo a graça que recebe na meditação, fortalece seu ego, não sua alma. Nem sempre nos é possível alcançar rápida ou facilmente nossos objetivos altruísticos. Esse fato, contudo, não deve nos impedir de praticar o maior bem que pudermos. Feitos como somos à imagem e semelhança de Deus, trazemos potencialmente, dentro de nós, Seu poder oculto. Portanto, vivamos e trabalhemos movidos por essa orientação e força interiores, não pela consciência do ego.

Quanto mais vivermos na certeza de Sua presença, graças à concentração e meditação diárias, com mais segurança desenvolveremos nossos poderes latentes. Esses poderes, nascidos da harmonia interior, devem ser usados para a superação de quaisquer dificuldades.

Pratique a arte de disparar sorrisos candentes contra o alvo dos corações entristecidos. Toda vez que o coração de alguém é atingido pelo projétil de seu sorriso, você "acertou na mosca". Corte os dissabores com a lâmina da sabedoria. Tão logo descubra um coração sofredor, dispare-lhe sorrisos reconfortantes e palavras gentis. Quando perceber alguém esmagado pelas nuvens da dor, disperse-as com o bombardeio pesado e contínuo dos seus valentes sorrisos.

Ao perceber as trevas do desengano, alveje-as imediatamente com os sorrisos que suscitam a esperança. Não crie o hábito de gemer, crie o hábito de sorrir. Imunize-se contra a prática das ofensas, esqueça e perdoe de boa mente aqueles que o ofenderem. Nunca se encolerize. Nunca se permita ser vítima da cólera alheia. Esforce-se para superar as dificuldades, mas sorria no começo, no fim e o tempo todo. Não há melhor tônico para a tristeza do que o sorriso verdadeiro. Não há poder maior com o qual possamos superar o fracasso do que o sorriso franco. E não há beleza superior ao sorriso da paz e da sabedoria brilhando em nosso rosto.

Ó Riso Silencioso, alegra a minha alma! Que minha alma sorria através do meu coração e que meu coração sorria através dos meus olhos. Ó Príncipe dos Sorrisos, entroniza-te sob o dossel do meu semblante: protegerei Teu Eu gentil no castelo de minha sinceridade, para que nenhuma hipocrisia rebelde ouse destruir-Te! Faze de mim um Milionário dos Sorrisos: espalharei generosamente Tua alegria pelos corações tristes, em toda parte!

Desde as primeiras horas da manhã, irradiarei meu regozijo para todos que encontrar durante o dia. Serei os raios solares da mente para quem quer que cruzar hoje o meu caminho.

Acenderei as velas dos sorrisos no coração dos infelizes. Diante da luz imperecível da minha alegria, a treva fugirá do coração dos meus irmãos.

Mãe Divina, ensina-me a amar e a servir ao próximo. Ensina-me a ser fiel à palavra dada, assim como desejo que os outros sejam fiéis para comigo. Ensina-me a querer bem aos meus semelhantes como quero que queiram bem a mim. Ensina-me, ó Mãe, a tornar felizes os meus irmãos — a fazê-los sorrir. Ensina-me, ó Mãe, a encontrar minha felicidade na alegria dos que me cercam.

CAPÍTULO 7

Sucesso e prosperidade autênticos

Milhões de crianças encetam a jornada da vida às cegas. Agem como brinquedos mecânicos que se põem em movimento com um pouco de corda, correm sem destino e batem contra qualquer coisa que lhes barra o caminho. Essas jornadas sem rumo são o quinhão de muitas pessoas porque, no começo, não avançaram para o objetivo certo nem estavam devidamente equipadas com os poderes que as manteriam numa senda definida.

Nessa fase da vida, elas agem como marionetes manipuladas pelo ambiente, os instintos pré-natais e o destino. Nunca sabem que papéis poderão desempenhar com êxito nem podem harmonizar seus deveres com o roteiro do Drama Cósmico. Milhões, por assim dizer, cumprem seus deveres na vida como se estivessem em estado de sonambulismo.

Você deve descobrir de vez seu caminho na vida, analisando a primeira infância e a etapa atual, para não tomar inconsideradamente o rumo errado. Depois, determinada a direção certa, tentar elaborar com base nela todos os métodos criativos de enriquecimento ao seu dispor. Esses métodos, porém, devem ficar nos limites do seu idealismo — de outro modo, terá dinheiro, mas não felicidade. A felicidade só é possível quando o desejo de enriquecer não o induz a enveredar pelo caminho errado.

Desperte! Nunca é tarde para fazer o diagnóstico da vida. Analise o que você é e qual a natureza verdadeira do seu trabalho, para fazer de si mesmo aquilo que deve ser. Possui talentos e poderes que nunca utilizou antes. Possui toda a força de que precisa. E não há força mais formidável que a da mente. Afaste-a dos hábitos mesquinhos que mantêm você preso às coisas mundanas. Sorria o sorriso perpétuo de Deus. Sorria o vigoroso sorriso do esforço equilibrado, o sorriso de um bilhão de dólares que ninguém poderá arrancar de você.

Swami Kriyananda escreve o seguinte:

Um homem, esmagado pelo peso das responsabilidades do mundo, perguntou: "Que lugar ocupa o dever no caminho para a alegria interior?"

Sri Yogananda respondeu: "Viver levianamente é viver para o ego, não para Deus. Quanto mais a pessoa insiste na realização do ego, menos tem consciência da alegria autêntica.

"Cumprir os deveres da vida talvez não seja fácil nem prontamente gratificante. A alegria divina é um objetivo de longo prazo. O homem deve acolher as responsabilidades e não evitá-las, se quiser alcançar a liberdade eterna."

Os homens de sucesso têm nervos fortes o bastante para manter na mente a imagem indelével daquilo que desejam construir ou produzir na Terra. Então, como financistas, empregam a habilidade criativa; como construtores, a vontade de poder; como carpinteiros, a atenção minuciosa; e, como operários, a paciência mental — para assim materializar seus sonhos.

Você é infeliz porque não visualiza com nitidez suficiente as grandes coisas que de fato deseja nem emprega sua força de vontade, talento criativo e paciência para materializá-las. A felicidade depende da capacidade de manifestar, primeiro, os desejos menores e, depois, os sonhos maiores.

Cuide para não alimentar ambições impraticáveis na vida e, conseqüentemente, passar anos atolado no lodaçal da pobreza, vítima do sarcasmo de familiares e amigos, como se perseguisse a cauda de um arco-íris. Faça esquemas mentais das pequenas coisas e esforce-se para concretizá-las até conseguir tornar realidade também os grandes sonhos.

Contente-se com a obtenção de pequenos êxitos, pois assim aprenderá a ser um milionário da felicidade e, mais tarde, a materializar seus sonhos grandiosos. A infelicidade é conseqüência do fracasso. Você poderá criar para si uma felicidade duradoura se não permitir que nada o perturbe na jornada do sucesso.

Não existem obstáculos: apenas *oportunidades*!

Yogananda escreveu o seguinte ensaio em apoio à idéia de Henry Ford de substituir a semana de trabalho de seis dias pela de cinco:

O homem é um ser material e espiritual. Deve evoluir espiritualmente graças à disciplina interior, mas precisa mostrar-se materialmente produtivo desenvolvendo suas habilidades profissionais. O homem primitivo empregava todas as suas faculdades mentais na satisfação das necessidades da vida material. Passava o tempo todo caçando, comendo e dormindo. O homem moderno tenta, por meios científicos, satisfazer às condições materiais da vida atual. O que o homem primitivo fazia sem nenhum método, o homem moderno faz metodicamente. E o método, em seus esforços para obter sucesso material, também melhorou de forma indireta suas faculdades interiores.

Os Mestres da Índia acreditam no aperfeiçoamento direto das faculdades interiores da força de vontade para combater a tentação, bem como no cultivo do sentimento para servir aos semelhantes.

Uma vez que Deus nos deu a fome e uma vez que temos um corpo físico para cuidar, precisamos de dinheiro ganho honestamente, cientificamente, a fim de atender às necessidades de nossos semelhantes. A vida profissional não tem de ser necessariamente materialista. A ambição de prosperar pode ser espiritualizada. Os negócios existem para servir aos outros materialmente, da melhor maneira possível. Chamamos as lojas que abrem unicamente para ganhar dinheiro de "antros de cobiça". Mas aquelas que se preocupam antes em servir aos fregueses com os melhores artigos a preços justos são as que sempre prosperam e, além disso, apressam a evolução moral do mundo.

Jamais esquecerei a fina observação de um vendedor de uma grande loja, aonde eu fora escolher um sobretudo: "Senhor, não estou tentando vender-lhe coisa alguma. Estou procurando descobrir exatamente aquilo de que o senhor precisa". Ele sabia que eu podia adquirir uma peça de duzentos dólares, mas vendeu-me uma de sessenta, pois era a que me convinha. Gostei de levar a roupa certa por um preço razoável. E ele garantiu para a loja um cliente fiel. Se houvesse me vendido o sobretudo mais caro, eu nunca poria os pés ali de novo.

Desse modo, as pessoas devem espiritualizar sua ambição profissional pensando na melhor maneira de atender às necessidades adequadas dos semelhantes. O homem deve ganhar dinheiro para, também, fundar instituições filantrópicas em prol do bem público. Quando ganhamos muito dinheiro tornando os outros prósperos e usando a fortuna para ajudá-los a ajudar-se, estamos diante de uma ambição espiritualizada. Pais ricos, que deixam dinheiro demais aos filhos, interrompem a evolução, o sucesso e a felicidade que estes deveriam alcançar por mérito próprio.

Concordo com o sr. Henry Ford quando quer ajudar as pessoas a ajudar-se a si próprias e não praticar uma caridade que humilha e escraviza. Somente se tiverem ambição coroada pelo ideal do serviço poderão as pessoas materialmente ambiciosas justificar espiritualmente o ganho de dinheiro. Sem ambição, nossas faculdades se embotam e comprometem o progresso da humanidade.

Uma das razões da maior espiritualidade dos orientais é levarem a vida de maneira mais simples, recusando-se a assumir o papel de autômatos nos negócios e reservando mais tempo à contemplação. Sem dúvida, muitos deles empregam o lazer no cultivo de hábitos de preguiça e não na realização espiritual; contudo, em regra, os orientais têm mesmo uma percepção espiritual mais aguçada.

Nossos irmãos do Ocidente usam seu tempo para desenvolver apenas os fatores materiais e intelectuais da vida. São ocupados demais até para degustar os frutos de seu trabalho material ou para conhecer a fundo o significado da paz, da descontração e da bem-aventurança. Muitos de nossos irmãos ocidentais acham-se escravizados por seus compromissos menos importantes e esquecem que o compromisso supremo é o contato abençoado com Deus.

Nossos irmãos ocidentais precisam fabricar o tempo. Embora devam lutar mais pela vida por causa do clima frio, gozam de uma vantagem com relação a seus semelhantes do Oriente: o uso extensivo das máquinas. Poderiam assim economizar tempo para estudos mais profundos da vida e não só para a dança ou os divertimentos. As atividades profissionais e o dinheiro existem para o conforto do homem, mas a cobiça cega não deve privá-lo de sua felicidade.

Seis dias e noites inteiros de uma existência mecânica, com apenas algumas horas para a cultura espiritual, não são uma situação de equilíbrio. A semana deve ser reservada para o trabalho, a diversão e o cultivo do espírito — cinco dias para ganhar dinheiro, um dia para descansar e divertir-se, e um dia para praticar a introspecção e a realização interior. O homem precisa dispor de algum tempo livre para encontrar-se. Um dia por semana — o domingo — não basta porque é o seu único feriado; ele então só quer descansar, pois está fatigado demais para meditações.

Com uma semana de cinco dias, tal qual proposta por Henry Ford, as pessoas poderão empregar a noite de sexta-feira, o sábado e o domingo para afastar-se do ambiente barulhento da cidade e, assim, aumentar a longevidade. O chefe de Polícia de Chicago declarou que, se a barulheira da cidade fosse eliminada, os homens viveriam cerca de onze anos a mais, com um sistema nervoso em equilíbrio. Hoje, quase todas as famílias americanas podem ter automóvel e com ele sair da cidade nos fins de semana para restaurar-se em retiros silenciosos da natureza, vivendo uma dupla vida de eremitas nos bosques e guerreiros no campo das atividades mundanas.

É absolutamente necessário que a semana de cinco dias de Henry Ford seja adotada pelos empresários. Os patriotas realistas, amantes da verdade, devem cooperar proporcionando aos trabalhadores o sábado, dia de diversão e descanso, e o domingo, dia reservado para aprimorar os hábitos de meditação, buscar uma fraternidade espiritual e vivenciar o bem supremo, que é a bênção divina interior.

A semana de trabalho de cinco dias é um projeto dos mais desejáveis e necessários para dar às pessoas mais tempo de usufruir da natureza, simplificar a vida, gozar as alegrias autênticas dela, entender-se melhor com os filhos e amigos, e, acima de tudo, conhecer-se *a si mesmas.*

Por que não aprender a arte de viver corretamente?

Devemos começar tanto pelas crianças quanto pelos adultos. A mente flexível da criança pode ser moldada nas mais variadas formas por adultos autodisciplinados. Bons hábitos são fáceis de implantar nas crianças porque o desejo delas de praticá-los é mais livre, exceto no tocante a certas tendências inatas. Os adultos precisam se esforçar para banir hábitos antigos e instalar outros em seu lugar. Mas todos os hábitos, quer em crianças, quer em adultos, devem ser cultivados por meio de uma boa vontade espontânea. A fim de ensinar às crianças um modo equilibrado de vida, ou o costume de prestar atenção igual ao enriquecimento e à aquisição de felicidade espiritual, devemos considerar as ocasiões e os métodos.

As pessoas perdem o equilíbrio e sofrem da loucura monetária ou profissional apenas porque nunca tiveram a oportunidade de desenvolver o hábito de uma vida harmoniosa. O que controla a nossa vida não são os pensamentos fugazes e as idéias brilhantes, mas nossos hábitos diários. Há empresários que ganham milhões sem perder o equilíbrio ou o controle dos nervos. E há outros que se empenham tanto em acumular dinheiro que não conseguem pensar em nada mais, só despertando quando algo de horrível lhes acontece, como uma doença ou a perda da felicidade.

Dizem alguns psicólogos que o comportamento adulto é mera repetição das lições aprendidas entre as idades de dois e dez ou quinze anos.

Sermões espirituais inspiram as mentes infantis a praticar boas ações, mas isso é tudo. A disciplina prática, para fazer germinar as sementes dos hábitos pré-natais alojados no subconsciente e na mente superior, é necessária. Isso só se torna possível pelo estímulo das células cerebrais dos hábitos incipientes com a eletricidade da concentração interior. As crianças devem ser educadas na ambição espiritual de ganhar dinheiro em benefício do próximo.

Cabe aos adultos edificar as crianças e garantir-lhes uma vida equilibrada. Se os adultos continuarem intoxicados pelo materialismo unilateral, os grandes potenciais das crianças permanecerão inúteis.

Assim, para salvar o mundo futuro salvando as crianças, os pais precisam despertar e cultivar hábitos que harmonizem as vidas espiritual e material.

※

A fim de levar uma vida equilibrada, os adultos devem antes educar-se e compreender que as ambições profissionais existem apenas para fazer felizes a eles e aos outros. Sem essa perspectiva, a intensa atividade profissional apenas produz nervosismo, cobiça, desajustes sociais, miséria e desrespeito pelos bons princípios. Somente pela consciência da solidariedade pode a vida ser realmente feliz.

Conheço inúmeros empresários de destaque, inteligentes, que no íntimo estão insatisfeitos com tudo, ávidos de Deus e sabedoria, mas entravados irremediavelmente pelos hábitos e o excesso de compromissos. Sacrificam o compromisso maior, que é com Deus, a Verdade, o aprofundamento dos estudos e a vida familiar, pelo dinheiro ou alguma atividade banal.

Assim como na guerra, nossa luta contra os desafios da existência precisa de treinamento. Guerreiros bisonhos logo tombam no campo de batalha; e homens que ignoram a arte de preservar o equilíbrio e a paz são prontamente atingidos pelos projéteis da inquietação e do desassossego na vida ativa.

Pouca gente sabe se está progredindo ou regredindo. Como seres humanos dotados de razão, sabedoria e entendimento, nosso principal dever consiste em usar essas qualidades adequadamente, para saber aonde estamos indo.

Se os fracassos o perturbam repetidamente, não desanime. Eles devem funcionar como estimulantes, não como venenos, para seu crescimento material e espiritual. A fase de fracasso é a melhor estação para lançar as sementes do sucesso. Elimine as causas do fracasso e empenhe-se com redobrado vigor naquilo que pretende realizar.

A clava das circunstâncias pode golpeá-lo, mas mantenha a cabeça erguida. A morte na tentativa de vencer é sucesso; recuse-se a alimentar a consciência da derrota. Sempre tente de novo, não importa quantas vezes haja falhado. Persevere *mais um minuto* na corrida do êxito, embora já tenha feito o melhor e ache que não conseguirá dar mais um passo. Lute ao supor que não lhe restam forças para se manter na luta e que já realizou o que podia.

Todo esforço após uma derrota precisa ser bem planejado e dirigido por uma intensidade de atenção crescente. Comece, a partir de hoje, a fazer uma coisa por vez, aquelas coisas que imaginava fora do seu alcance.

*

A mudança é freqüentemente encarada com apreensão. Ao renunciar a uma coisa, as pessoas se perguntam: "E se eu ficar sem nada?" É preciso coragem para trocar o conhecido pelo desconhecido. Nem sempre é fácil sequer trocar uma dor antiga por uma felicidade nova e, portanto, incerta. A mente lembra o cavalo que, por anos, puxou sua carroça de entregas: acostumou-se ao caminho percorrido todos os dias e não se pode convencê-lo com facilidade a tomar outro. A mente não abandona, sem mais, os velhos hábitos, mesmo sabendo que eles só provocam sofrimento.

Mudanças benéficas devem ser aceitas com coragem. Se a esperança de algo melhor é ofuscada pelo medo de obtê-lo, a mente não consegue permanecer serena. Portanto, aceite a mudança como a única constante da vida. Esta é uma sucessão interminável de ganhos e perdas, alegrias e tristezas, esperanças e desapontamentos. Num instante, vemo-nos ameaçados pela tempestade da provação; pouco depois, um raio de prata atravessa as nuvens escuras e, de repente, o céu fica azul de novo.

Vida é mudança.

Permaneça sempre calmo interiormente. Sempre tranqüilo. Ao trabalhar, seja calmamente ativo. Um belo dia, perceberá que já não se acha à mercê das marés do destino. Sua força virá de dentro; você não dependerá de nenhum tipo de motivação externa.

Como devoto do caminho espiritual, não dê muito valor às provações que enfrenta. Mostre-se sereno. Avance com coragem. Vá em frente dia após dia, munido de fé tranqüila. No fim, ultrapassará todas as sombras de um karma adverso, todos os desafios e dificuldades, para contemplar a aurora da realização divina. Então, no estado superior de consciência, manifestar-se-á a liberdade duradoura, que dissipa os vapores do infortúnio.

Alimentar a família é necessário; porém, ajudá-la a desenvolver seus poderes mentais é mais necessário ainda. Dê a máxima importância ao aprimoramento de suas almas, ensinando-as a entrar em contato com Deus pela meditação.

Todos os dias, faça alguma coisa para satisfazer ao Plano Cósmico em função do qual você foi trazido à Terra. Muitas pessoas são infelizes porque se esquecem de harmonizar seus deveres mundanos com as exigências do Plano Cósmico. Este requer que você inclua em sua felicidade autêntica a felicidade dos mais necessitados, se é que deseja contentar sua alma.

Todos os dias, procure edificar os enfermos física, mental ou espiritualmente, tal como faria a si mesmo e à sua família.

Se, a partir de agora, em vez de alimentar o velho egoísmo causador de desgraças, você passar a viver cientificamente de acordo com as leis do espírito e de Deus, então, não importa quão insignificante seja seu papel no palco da existência, saberá que o desempenhou bem, conforme as instruções do Diretor de Cena dos destinos humanos. E lembre-se: seu papel, embora pequeno, é tão importante quanto os maiores, pois contribui igualmente para o êxito completo do Drama das Almas no palco da Vida. Ganhe algum dinheiro e satisfaça-se com ele vivendo de maneira simples e expressando seus ideais. De nada vale ser rico e ter preocupações sem fim.

Os sofrimentos não surgem para destruí-lo, mas para ensiná-lo a apreciar melhor a Divindade. A Divindade não manda os sofrimentos; você é quem os fabrica. Tudo o que tem a fazer é resgatar sua consciência das trevas da ignorância. Os males à sua volta aparecem em conseqüência de seus atos conscientes ou inconscientes no passado, em algum lugar, em alguma época. Devemos nos responsabilizar por eles, mas sem desenvolver um complexo de inferioridade. Diga a si mesmo: "Sei que Tu estás vindo! Verei Teu raio de prata e, no mar tempestuoso das provações, és a estrela-guia de meus pensamentos naufragados!" Por que tem medo? Lembre-se, você não é homem nem mulher, não é aquilo que pensa ser: é uma criatura imortal.

Os hábitos são os seus piores inimigos. Assim como Jesus manifestou Seu amor, exclamando numa hora difícil: "Pai, perdoai-os porque eles não sabem o que fazem", assim você deve perdoar suas duras provações e dizer: "Minha alma renasceu. Meu poder é maior que meus sofrimentos, pois sou filho de Deus". Desse modo, seus poderes mentais se fortalecerão e sua taça de realizações será grande o bastante para conter o Oceano do Conhecimento. Atenda da melhor maneira possível a seus desejos eternamente insatisfeitos, no ambiente adequado e agindo de maneira correta. Então, você será feliz e próspero.

Muitas pessoas acham que primeiro devem adquirir a riqueza para depois pensar em Deus. Mas Deus deve vir *antes* porque Dele é que você precisa. Se se conscientizar *disso*, obterá a verdadeira felicidade. Convém que Deus esteja ao seu lado o tempo todo. Se você conseguir estabelecer esse grande vínculo com Ele, a prosperidade do universo estará literalmente a seus pés. Portanto, não se esqueça de que Deus é o seu grande provedor. Você é realmente próspero, não pelo que tem, mas pelo que pode obter à vontade.

Viver uma vida contraditória é viver afastado do espírito. Quando a totalidade de sua consciência se volta para Deus e para o silêncio, não importam quais sejam os seus erros, isso é estar com Deus. Quando você cumpre os deveres com alegria, sem deixar que eles comprometam sua felicidade, isso é ter "felicidade espiritual". Então, sua mente e consciência retornam integralmente à fonte — a Deus, liberdade, ar puro, alegria e simplicidade. Essas são as maiores lições que os Mestres da Índia ensinam. Eles sempre transmitiram a seus discípulos a prática da vida singela e do pensamento elevado.

Você vive diretamente pelo poder de Deus. Suponha que, de súbito, Ele alterasse o clima de seu país. Que aconteceria? Onde encontrar alimento? Como se poderia viver? Por que não recordar que Deus é o mantenedor da vida dada a você? Sim, Ele é o mantenedor direto mesmo tornando a vida dependente do alimento. Deus é a Causa de tudo, e desatar os vínculos com Deus significa padecer.

Esquecer Deus e rodear-se de luxo é perigoso. "Tendo pouco, muito tenho, pois tenho Deus." Os yogues aprendem que Deus nunca pode ser encontrado no mundo exterior; mas quando você mergulha fundo em sua própria alma, no templo de Deus, então pode proclamar: "Ninguém na Terra se preocupa tanto com minha saúde, prosperidade e felicidade quanto meu Pai. Ele está sempre comigo".

꧁꧂

Diariamente, proclame: "Senhor, és Tu quem me mantém. Manifesta por meu intermédio Tua prosperidade. Pai, Tu és minha riqueza. Sou rico. Possuis todas as coisas. Sou Teu filho: tenho o que tens". Você deve dizer isso de manhã, antes de ir para o trabalho. Lembre-se de que está vivendo estritamente sob as leis de Deus, o qual lhe apontará o caminho certo. O homem lhe mostrou como agir e em seguida o deixou por sua própria conta e risco. O caminho de Deus lhe trará alegria e prosperidade.

Se conseguirmos alcançar esse estado dizendo: "O que é meu é Teu", será melhor ainda. É extremamente difícil, em nossa era de egoísmo, obter a prosperidade. O egoísmo tem de desaparecer. E só desaparecerá quando todos deixarem de ser egoístas. Viva você mesmo essa realidade. A melhor maneira de ensiná-la é dando o exemplo.

※

Embora seja necessário ganhar dinheiro, mais necessário ainda é ganhar felicidade. Ganhamos dinheiro para ser felizes, não somos felizes para ganhar dinheiro. Aqueles que se limitam a enriquecer como única garantia de felicidade jamais encontram a verdadeira satisfação, pois soma alguma poderá comprar a felicidade se for desperdiçada sistematicamente em ações errôneas.

Pessoas rodeadas de riquezas, mas incapazes de usá-las da maneira certa para fazer felizes a si mesmas e aos semelhantes, morrem sedentas de felicidade. Esquecem-se de que ganhar dinheiro é apenas um meio de ser felizes. É tão ridículo concentrar-se nos meios e esquecer o objetivo quanto viajar sem saber o destino. Não faz sentido criar o hábito do acúmulo de dinheiro e não usá-lo em benefício próprio e alheio.

Muitas pessoas cometem o erro de perseguir o dinheiro antes de perseguir a felicidade. Tentar enriquecer com uma mentalidade frouxa e inquieta não apenas conduz ao insucesso como gera mais ansiedade e sofrimento. O melhor método consiste em buscar o dinheiro depois de assegurar a felicidade. Fazer fortuna numa atitude serena e jovial leva tanto ao êxito quanto à bem-aventurança. Pessoas felizes tornam felizes seus semelhantes graças ao exemplo, pois os atos dizem mais que as palavras.

Algumas pessoas sustentam que a felicidade só pode ser encontrada na satisfação mental; outras, que ela se resume em possuir montanhas de dinheiro, além de móveis, iates, fazendas e carros à vontade. Ambas as posturas são unilaterais e incompletas.

O asceta, acocorado numa caverna, talvez sinta certa satisfação mental, mas depende do alimento plantado por um fazendeiro ou produzido por um fabricante. Tem de vestir roupa feita por um tecelão. Nenhum asceta neste mundo poderá encontrar felicidade completa apenas na mente, sem usar ao menos uns poucos objetos materiais.

Por outro lado, não é verdade que a felicidade depende da compra incessante dos inúmeros artigos que a fantasia nos faz desejar. De fato, quando a felicidade é buscada unicamente por intermédio da aquisição de um número infinito de coisas materiais, nunca pode ser encontrada, pois ela consiste sobretudo numa atitude mental e só em parte é condicionada por fatores externos.

Houve mártires que preferiram sacrificar suas vidas a perder os confortos íntimos da alma. Eles souberam achar a felicidade em estados mentais sem o complemento dos objetos físicos. Em contrapartida, é muito raro encontrar a felicidade em pessoas que só a buscam no consumismo desenfreado.

O homem cuja bem-aventurança depende unicamente da criação e satisfação de novos desejos não pode nunca alcançá-la, pois ela está condicionada a algo que ele espera ter em algum momento no futuro. Esse homem corteja a felicidade sem jamais conquistá-la, tal como o cão a perseguir a salsicha que sempre lhe escapa, agitando-se diante de seus olhos suspensa de uma vara presa às suas costas.

O homem nunca realizará seus desejos se esquecer que a felicidade está sobretudo na mente e apenas em parte na aquisição de bens materiais.

Lembre-se de que quem procura apenas prazeres materiais perderá as alegrias divinas que se ocultam por trás deles. Aquele que encontra o júbilo cósmico da meditação desinteressa-se pelos gozos da vida material. Aquele que renuncia à ânsia de prazeres a fim de descobrir a Inteligência Crística interior encontrará as alegrias perenes que a vida material esconde.

O devoto que esquece os prazeres do corpo para sentir o contentamento sempre novo proporcionado pela meditação verá que toda a prosperidade material e os prazeres da vida terrena lhe serão acrescentados. Quem desdenha a felicidade terrena em troca da felicidade divina alcançará também a felicidade do mundo. Mas quem persegue a felicidade material irá perdê-la, porque sua natureza é durar pouco.

Abençoa-me para que eu Te contemple através das janelas de todas as atividades gratificantes. Possas Tu proteger-me para que me rejubile sempre no cumprimento do dever. Que todas as minhas atividades — caminhar, dormir, sonhar — sejam inundadas por Tua presença.

Pai, ensina-me a executar cada trabalho de modo a comprazer-Te. Faze-me sentir que és a centelha elétrica da minha vida, movimentando a maquinaria dos meus ossos, nervos e músculos. A cada pulsação, a cada respiração, a cada irrupção de atividade vital, ensina-me a sentir Teu poder.

CAPÍTULO 8

Liberdade e alegria interiores

Swami Kriyananda conta a seguinte história:

"Se eu não tiver desejos", perguntou um membro da congregação, "não ficarei desmotivado, à semelhança de um autômato?"

"Muita gente pensa assim", respondeu Yogananda. "Teme perder todo o interesse pela vida. Mas não é isso absolutamente o que acontece. Ao contrário, a vida se torna bem mais interessante.

"Considere o aspecto negativo do desejo. Ele nos mantém em estado de medo perpétuo. 'E se isto acontecer?' ou 'E se não acontecer?', pensamos. Sentimo-nos então ansiosos pelo futuro ou nostálgicos pelo passado.

"O desapego, por outro lado, nos ajuda a viver constantemente num estado de liberdade e felicidade interiores. Se somos felizes hoje, temos Deus.

"A ausência de desejo não nos priva de motivação. Longe disso! Quanto mais vivemos em Deus, mais profunda é a alegria que experimentamos em servi-Lo."

⁂

Se você aspira à sabedoria e à felicidade sem mácula, mantenha livres os sentimentos do seu coração. Não reaja com exageros aos altos e baixos da vida. Em outras palavras, quando a fortuna o visitar, não nade espalhafatosamente pelas águas brilhantes da excitação. Não afunde sem resistir no pântano do desespero quando não descortinar à frente nenhuma saída para as dificuldades atuais.

Para o incauto, o mundo material é um deserto inexplorado, repleto de perigos. O sucesso ocasional — próprio ou alheio — ludibria o viandante, arrastando-o para inúmeros desvios de esperança falsa. Infelizmente, muitas vezes o caminho leva a um deserto de sonhos destruídos. Sucesso e fracasso se alternam, como picos e vales numa cadeia de montanhas.

As regras para uma vida feliz e proveitosa não são muitas nem difíceis de seguir. Devem, porém, ser estudadas meticulosamente e submetidas à prática diária.

Esforço e luta são as normas da existência na Terra. Mas são bênçãos, não infortúnios, pois nos propiciam um campo de testes para nossa evolução interior. À medida que afiamos nossa paz mental — cujo aço puro foi forjado pela meditação — na superfície abrasiva das dificuldades exteriores, aprimoramos o critério lúcido com o qual extirparemos o núcleo da ilusão. Por fim, chegaremos a esse estado de bem-aventurança onde o próprio gume de nossa paz nos protegerá enquanto praticarmos qualquer atividade.

A condição mais importante para a felicidade duradoura é a calma. Permaneça sempre concentrado, calmamente, no Eu interior. Assim como o castelo de areia de uma criança se desmorona ante a incursão das ondas do mar, assim sucumbe a mente que não tem força de vontade nem perseverança ao peso das vagas das circunstâncias mutáveis.

O diamante, contudo, conserva seu poder e luminosidade não importa quantas ondas batam contra ele. O homem que goza de paz interior retém do mesmo modo sua serenidade até sob a tormenta das maiores provações.

Uma boa norma de vida é dizer a nós mesmos, pura e simplesmente: "O que tiver de vir, que venha!"

A vida nos reserva inúmeros altos e baixos. Se você permitir que seus sentimentos subam e desçam com as ondas da circunstância, jamais obterá a paz interior que é o alicerce do progresso espiritual. Mas tome cuidado para não reagir emocionalmente. Esteja acima dos gostos e aversões.

Outra boa norma de vida — que o norteará enquanto navegar pelas muitas provações da vida — é, sob quaisquer circunstâncias, permanecer *calmo e jovial.*

O resultado final dos extremos emocionais é a insatisfação emocional extrema. A felicidade perfeita não está em nenhuma das pontas da experiência externa, mas a meio caminho entre elas, onde mora a serenidade.

Não permita que suas posses o possuam nem que os detalhes insignificantes da vida material invadam, como enxames de preocupação, sua serenidade íntima.

❦

A onda que se ergue do fundo do oceano continua fazendo parte do oceano. É o corpo de Deus. Se Ele quiser que tudo vá bem, ótimo; se não, ótimo também. O melhor é ser imparcial. Se você tiver saúde e apegar-se a ela, temerá o tempo todo perdê-la. E se adoecer, ficará para sempre lamentando o bem que se foi.

O pior problema do homem é o egoísmo, a consciência da individualidade. Ele supõe que tudo o que lhe acontece o afeta *pessoalmente*. Mas, como? Você não é seu corpo. Você é *Ele*! Tudo é Espírito.

❦

As condições objetivas são sempre neutras. Nossa reação é que as faz parecer boas ou más.

Trabalhe a sua mente: controle suas reações às circunstâncias externas. A essência do yoga é neutralizar as ondas das reações do coração. Seja sempre alegre no íntimo. Você nunca conseguirá modificar as coisas que vêm de fora de modo a torná-las todas agradáveis.

Você é que deve se modificar.

❦

Só os pouco sábios se desiludem da vida. Os metafísicos fartos do mundo orgulham-se de "ser indiferentes a tudo" e torcem o nariz quando ouvem falar de alguma coisa bela. Sim, a vida é cheia de inconsistência. De fato, as aquisições terrenas não duram muito. Mas reconhecer essas realidades não é, por si só, uma prova de sabedoria profunda. Nada de valioso se consegue pela mera negatividade.

A sabedoria deve ser encarada com um olhar positivo. Por que desprezar o mundo? Melhor é aceitar a alegria pura vinda dos estímulos externos e misturá-la à alegria da alma. Recorra à felicidade de fora para lembrar-se do paraíso que tem dentro de si. Essa absorção dos estímulos sensoriais aumenta o prazer obtido das experiências sensoriais, pois reforça a alegria em sua fonte verdadeira.

Não fique nem eufórico nem deprimido com as coisas que estão fora de você. Contemple o espetáculo passageiro da vida com mente tranqüila, pois os altos e baixos da existência não passam de ondas marinhas em fluxo constante. Não se envolva emocionalmente com elas, mas permaneça calmo, alegre no seu centro interior.

O cansaço da vida — a inflexível alternativa dos metafísicos à excitação emocional — não pode curar os sofrimentos da vida, pois alimenta uma atitude de indiferença, que está na raiz da preguiça espiritual.

Não se preocupe, pois, com desapontamentos nem se gabe de vitórias fugazes. Não confie em riquezas, mas não recuse desdenhosamente os dons generosos da vida. Aproveite o seu potencial espiritual elevado, cuidando para não dispersá-lo em empreendimentos vãos.

Descubra a beleza imutável de Deus no âmago da mudança e em todas as coisas boas. Procure, principalmente, aquilo que os sábios têm: consciência divina, imortalidade em Deus. Abandone ao Infinito todos os apegos, por menores que sejam. Deixe que o mundo rosne indignado ou se sacuda na histeria do falso júbilo. Que importa isso? É tudo um desfile — divertido, colorido, mas apenas um desfile que passa interminavelmente.

CAPÍTULO 9

Encontrar Deus é a maior felicidade

O propósito da vida humana é encontrar Deus. Essa é a única razão da nossa existência. Emprego, amigos, interesses materiais — tais coisas não importam por si mesmas. Nunca poderão lhe dar a verdadeira felicidade pela simples razão de que nenhuma é completa. Só Deus abrange tudo.

Por isso, disse Jesus: "Buscai, pois, em primeiro lugar, o seu reino e a sua justiça, e todas estas cousas vos serão acrescentadas" (Mateus, 6:33). Busque primeiro o Doador de todos os dons e receberá Dele até os bens menores.

※

A alegria é um aspecto da Divindade. A alegria divina é como milhões de alegrias terrenas enfeixadas em uma. Procurar a felicidade humana é como pedir uma vela quando se está à luz do Sol. A alegria divina nos rodeia eternamente, mas as pessoas olham para as coisas julgando que elas lhes assegurarão a bem-aventurança. O máximo que conseguem é o alívio das dores emocionais e físicas. A alegria divina, porém, é a Realidade fulgurante. Diante dela, as alegrias terrenas não passam de sombras.

※

Portanto, ore assim a Deus:
"Meu Infinitamente Amado, bem sei que estás mais perto que estas palavras com as quais oro; estás mais perto até

que meus pensamentos mais imediatos. Para além de todos os meus sentimentos irrequietos, possa eu perceber Teus cuidados para comigo — e Teu amor. Para além da minha percepção, possa eu ser amparado e guiado por Tua consciência. Para além do meu amor por Ti, que eu me torne ainda mais ciente do Teu afeto".

Se você orar sempre a Ele dessa maneira, com toda a sinceridade, sentirá Sua presença, subitamente, como uma intensa alegria no coração. E nesse assomo de júbilo, saberá que Ele está a seu lado e lhe pertence.

※

O verdadeiro propósito da vida é encontrar Deus. As tentações do mundo lhe foram dadas para ajudar você a aprimorar seu discernimento: você prefere os prazeres dos sentidos ou Deus? Os prazeres parecem sedutores a princípio, mas, se você os preferir, cedo ou tarde se verá metido em confusões e dificuldades sem fim.

A perda da saúde, da paz de espírito e da felicidade é o quinhão daquele que sucumbe à atração dos prazeres sensuais. A alegria infinita, por outro lado, será sua tão logo você conheça Deus.

Todo ser humano terá, um dia, de aprender essa grande lição de vida.

※

O sofrimento nos recorda que este mundo não é o nosso lar. Se fosse perfeito para nós, quantas pessoas se disporiam a procurar outro melhor? Mesmo sendo tudo tão precário como é, note quão poucas buscam Deus! De mil, disse Krishna, talvez uma.

A lei da vida é esta: quanto menos vivemos em harmonia com a verdade interior, mais sofremos; e quanto mais vivemos em harmonia com a verdade interior, mais experimentamos a felicidade que nunca morre. Portanto, nada pode nos afetar, ainda que nosso corpo se consuma na doença e as pessoas, ridicularizando-nos, nos persigam. Por entre os caprichos da vida, permaneçamos sempre reverentemente centrados no Eu interior.

"Afasta-te", conclama Krishna, "do Meu oceano de dores e misérias!" Com Deus, a vida é um festim de alegrias; mas, sem Ele, é um antro de tribulações, penas e desapontamentos.

A meditação profunda mantém a consciência presa a Deus; quando não meditamos, nossa consciência se apega aos sentidos. Se você não está meditando, mas ainda assim se percebe próximo de Deus o tempo todo, continua gozando o pleno benefício de sua meditação mais recente. Se consegue preservar a alegria e o entusiasmo da meditação ao longo do dia, ainda está meditando. Não se acha, pois, preso aos sentidos. Quando pode sentir Deus na carne tanto quanto na meditação, há plenitude. Tal é a experiência dos devotos que seguem o caminho da meditação. Os devotos se libertam; cumprem rigorosamente seus deveres, mas não se aferram a eles.

Às vezes, uma alma antecipa o júbilo da meditação e se põe à procura de Deus noite e dia; e mesmo que Deus não responda, ela persiste até encontrá-Lo. Temos de nos esforçar para alcançar o Infinito, e esforçar-nos da maneira correta. Ninguém pode nos dar a auto-realização. Precisamos trabalhar por isso. Nenhum mestre espiritual nos garantirá a salvação a menos que nós mesmos lutemos por ela.

Alegria e Deus são uma coisa só. A alegria é a cura que desejamos primeiro, a cura da ignorância da alma. Um dia você terá de entregar seu corpo ao pó, sendo conveniente, pois, pensar no Espírito desde já. As afirmações são melhores que as formas usuais de prece. Não peça favores a Deus. Ele não infringirá nenhuma lei do universo só porque você Lhe pediu para fazê-lo; entretanto, se você reivindicar seu direito de nascença, como filho de Deus, Ele o ouvirá. Uma prece enfadonha, com palavras e mais palavras, não significa absolutamente nada, a não ser divagação mental. Quando fazemos uma afirmação, porém, dizemos e sentimos com toda a intensidade aquilo que está por trás das palavras; então o pensamento atinge o âmago da mente consciente, passa à subconsciente e sobe para a supraconsciente. Uma vez na supraconsciência, o pensamento se manifesta.

Sempre faça afirmações com inteligência e devoção, até que seu pensamento passe lucidamente pela mente subconsciente e atinja a supraconsciente. A maior cura que você pode pedir é a da ignorância, de modo que não regrida nunca ao velho modo de ser. Seu melhor e mais cobiçado prêmio na vida é a constatação de uma felicidade infindável, a que chamamos paz ou bem-aventurança.

※

Se alguém perder um diamante e tentar satisfazer-se com cacos de vidro que brilhem à luz do Sol, ficará desiludido. Não achará diamantes em meio a estilhaços de vidro. Estará procurando no lugar errado e não será feliz até chegar onde verdadeiramente se encontra o diamante. Da mesma maneira, a alma procura encontrar felicidade no brilho momentâneo dos prazeres sensuais; mas, quando se farta, torna-se enfastiada e busca a paz e a alegria em si mesma.

É insensato esperar a felicidade autêntica das coisas materiais, pois elas não podem dá-la. No entanto, milhões de pessoas sucumbem de coração partido na vã tentativa de encontrar, em coisas materiais, o consolo que só Deus pode conceder.

※

A alma, que é o Espírito individualizado, pode manifestar (quando tem a oportunidade de desdobrar-se) toda a realização e satisfação do Espírito. É pelo contato freqüente com a matéria mutável que os desejos materiais se avolumam.

Proteja a alma das perturbações criadas dentro de sua mente pela dança louca do desejo, pai do sofrimento. Aprenda a controlar o desejo violento e pernicioso. Conscientize-se de que não necessita de coisas que só geram misérias, pois, se buscar dentro de sua própria alma, encontrará lá a felicidade verdadeira e a paz duradoura, isto é, a bem-aventurança. Tornar-se-á então um "milionário da bênção".

A bem-aventurança é a natureza da alma — um estado interior duradouro de alegria sempre nova, imutável, que resiste eternamente aos desafios do sofrimento físico e da morte. Ausência de desejo não é negação; é, antes, a conquista do autocontrole de que você precisa para recuperar a herança de auto-realização existente dentro de sua alma.

Primeiro, dê à alma a oportunidade de manifestar esse estado, por meio da meditação. Depois, permanecendo nele, cumpra seus deveres para com seu corpo, sua mente e o mundo. Você não precisa renunciar às ambições e tornar-se negativo; ao contrário, permita que a alegria duradoura — sua verdadeira natureza — ajude-o a realizar suas ambições nobres. Usufrua das experiências superiores com a alegria de Deus. Cumpra os deveres que tem de cumprir com a alegria divina.

Somos todos imortais, dotados de alegria eterna. Jamais esqueça isso ao lidar com a vida mortal cambiante. Este mundo é apenas um palco em que desempenhamos nosso papel sob a direção do Divino Encenador. Desempenhe-o bem, seja ele trágico ou cômico, lembrando-se sempre de que sua verdadeira natureza é a bem-aventurança eterna e nada mais. A única coisa que nunca o abandonará é a alegria da alma.

Portanto, aprenda a nadar no lago sereno da bem-aventurança perene antes de resvalar no sorvedouro da vida material, que é o reino do sofrimento, prazer, indiferença e paz temporária, enganadora.

※

A meditação, praticada com seriedade, traz a bem-aventurança profunda. Esta não nasce do desejo: manifesta-se ao comando mágico da calma interior, fruto da intuição. Seja sempre calmo. Quando a bênção o envolver, você a reconhecerá como o Ser consciente, inteligente e universal ao qual poderá apelar, e não como um estado mental abstrato. Essa é a maior prova de que Deus é uma bênção eterna, sempre consciente e sempre nova.

Tenha expectativas de vida positivas. Procure viver constantemente feliz. Não permita que suas posses o possuam nem que os insignificantes detalhes do cotidiano invadam a calma do seu íntimo. Fortaleça-se para ficar acima das distrações bebendo freqüentemente o néctar da serenidade interior, que mãos angélicas lhe oferecem à medida que você se encaminha silenciosamente para a auto-realização.

※

O sábio, mesmo abençoado com a prosperidade material, jamais perde de vista a verdade de que todas as coisas são passageiras.

O insensato, que busca neste mundo imperfeito a realização, só colhe dele satisfação provisória. É que o sonho mais encantador e delicado de felicidade terrena acaba se juntando ao solene cortejo cujo destino é o crematório da desilusão.

O sábio compreende a natureza transitória da vida. Não perde tempo construindo castelos de sonho com esperanças vãs. Ao contrário, cultiva o desapego às experiências cotidianas e, quando a morte vem, encontra a perfeição da realização em Deus.

※

Por que você ainda está dormindo?! Não se desculpe alegando que anda ocupado demais para pensar em Deus! Quando chegar a hora da morte, terá de romper todos os seus compromissos, sem aviso prévio ou delonga. Então, que tal colocar agora de lado alguns de seus empreendimentos banais e pensamentos vazios para abrir espaço para Deus?

O mundo tira de você tudo o que pode, mantendo-o preso a hábitos mesquinhos e atividades improdutivas. Você talvez queira ser diferente, mas, dia após dia, continua prisioneiro, atado de mãos e pés pela corda de seus hábitos. É responsável por si mesmo e o mundo pouco se importa com o que você faz. Então, por que não lembrar diariamente: "Meu compromisso maior é com Deus"?

Comer, trabalhar e morrer não basta; os animais fazem o mesmo. Empregue o dom precioso da razão na busca de Deus. Não precisa ir para o deserto, onde tentações diferentes o assediarão e vencerão. O seu trabalho é no mundo, pois foi no mundo que o seu karma o colocou a fim de salvar-se pelo serviço ao próximo.

Você poderá encontrar Deus na solidão do seu quarto quando, às primeiras horas da manhã ou antes de adormecer, preparar-se para meditar. De mãos postas, diga mentalmente: "Pai, Tu és onisciente. Conheces todos os meus pensamentos. Fala comigo. Quero ouvir Tua voz". Repita a prece mentalmente várias vezes, até sentir a substância dela. Alimente esse sentimento, trabalhe-o. Repita a prece até sentir o coração repleto de amor e sequioso de Deus, pois assim obterá uma resposta consciente.

Sempre que tiver alguns momentos de lazer, faça uma prece sincera: "Pai, vem a mim, manifesta Tua presença onisciente". Que ninguém fique sabendo de suas orações secretas. E lembre-se: você não poderá conhecer Deus se, ao mesmo tempo, sua mente estiver atulhada de outros desejos. "Não tereis outros deuses diante de Mim" significa que Deus não Se revelará a ninguém cujos pensamentos a Ele consagrados não forem fortes o bastante para expelir todos os demais.

Quando você quer expressar seu amor por alguém, não precisa citar poemas alheios. Esse amor encontra suas próprias palavras, que fluem espontaneamente do coração desperto. Portanto, ore a Deus em seus próprios termos de amor e anelo, não em linguagem emprestada de outros. E nunca pare de orar até que Ele responda.

Doravante, intensifique cada vez mais o desejo de conhecer o Divino. Esforce-se *agora* para cultivar Sua amizade, mas sem ignorar seus deveres terrenos, na certeza de que por meio deles está materializando e reverenciando Deus.